ARTES DE MÉXICO

DE MEXICO

En 1988 renace *Artes de México* como un proyecto cultural inusitado. A través de una revista de gran calidad, que es al mismo tiempo un libro de arte, se exploran los más apasionantes aspectos de la cultura mexicana dedicando un número entero a cada tema. ᐞ La revista había sido fundada en 1953 por la misma persona que años después fundaría el Museo de Arte Moderno de la ciudad de México, Miguel Salas Anzures. Con él, encargado del diseño, estaba un joven que llegaría a ser uno de los más notables artistas mexicanos de la segunda mitad del siglo, Vicente Rojo. Por más de una década ambos fueron motor y orientación de *Artes de México*. Después, la publicación tuvo varias épocas, pasó por manos diferentes conservando siempre una fuerte fascinación sobre su público, hasta desaparecer en 1980. ᐞ La nueva época de *Artes de México* se inicia ocho años después, retomando lo mejor del espíritu de curiosidad por lo mexicano que animaba a la publicación anteriormente. Pero se impusieron también nuevas exigencias editoriales en su contenido y en su diseño e impresión. El nuevo nivel de calidad fue reconocido inmediatamente dentro y fuera del país, e imitado, a tal grado que un observador japonés, profesional de la edición, Yumio Nakai, publicó que "el surgimiento de *Artes de México*, a finales de los ochenta, con su exigencia constante hace que en pocos años se eleve la calidad general de las artes gráficas en su país: es sin duda una de esas presencias que marcan una diferencia". ᐞ El punto de vista que la nueva *Artes de México* impone sobre la cultura es también sutilmente diferente y hace notar sus consecuencias: para los editores no se trata de hacer tan sólo una revista de historia del arte o una publicación que reseñe y critique las exhibiciones del momento; se trata más bien de considerar a los objetos de arte como si fueran la punta del *iceberg* de la cultura mexicana. Por lo tanto, cada vez hay que indagar lo que no es evidente a través de lo que sí se ve, preguntarse, explorar, maravillarse con curiosidad y descubrir incesantemente los nuevos enigmas de una cultura multiforme, dinámica, muy creativa y siempre sorprendente. ᐞ Esa posición editorial, que desde un punto de vista universitario oscila entre la historia de las mentalidades y los estudios culturales, permite mezclar con rigor diversas disciplinas y considerar fuentes inusitadas. Hace posible que la publicación pueda ocuparse con seriedad lo mismo de un género pictórico desaparecido como la pintura de castas hasta de un fenómeno cultural como el tequila. Esto último preguntándose cómo, por qué proceso histórico y cultural, una bebida tan regional como la que se hace alrededor del pueblo de Tequila, se convirtió en símbolo nacional.

UNA ENCICLOPEDIA DE LAS CULTURAS EN MÉXICO

Cuando *Artes de México* publicó su número dedicado al ritual de pintar o fotografiar a los bebés que acaban de morir, no había una conciencia pública de la importancia de este género pictórico ritual en el arte del país y no se usaba tan comúnmente como ahora ese nombre que le puso *Artes de México*: el arte de "la muerte niña". Ahora aparece en catálogos e historias del arte como si siempre se le hubiera llamado así. Muchos pintores contemporáneos dentro y fuera del país han incluido imágenes bellas y misteriosas de ese número de *Artes de México* en sus cuadros. La revista realiza así su vocación pública de explorar, descubrir o redescubrir, nombrar y comprender, valorar y hasta de ofrecer a los artistas jóvenes nuevas maneras de mirar la tradición artística de México. Ayudarlos a reinventarla, a revitalizarla. ⚘ Cada número produce un efecto equivalente. Cuando *Artes de México* dedicó una de sus ediciones a la cerámica de Tonalá y fotografió en España las piezas que en el siglo XVIII se conservaron allá, los artesanos del pueblo de Tonalá las recopiaron de nuestras páginas, renovando así su propia tradición. Como un detalle curioso y significativo, en ese número dimos a conocer el descubrimiento de una pieza de Tonalá en el cuadro clásico de Velázquez, *Las meninas*. Así se nos reveló el significado de esa artesanía específica en la vida de la corte española y entre los viajeros ilustrados de otras épocas. ⚘ El número sobre la cerámica de Metepec reafirmó la identidad del lugar alrededor de su creatividad y reactivó la economía del gremio al convertirse en un catálogo muy difundido de lo que los artesanos del lugar son capaces. Un notable ceramista entrevistado en nuestras páginas, al preguntársele si se consideraba artesano o artista respondió: "Yo sólo soy un amante del barro". Al hacerlo sintetizaba sin querer una de las líneas editoriales de *Artes de México*: para nosotros no se puede hablar de artes mayores y artes menores colocando, por ejemplo, a la pintura entre las primeras y a las artesanías entre las segundas. Son artes de diferente naturaleza pero igualmente mayores. Entender esa naturaleza de las artesanías sin despreciarlas es parte de nuestra labor. Tratamos de entender su amor por el barro, nos hacemos cómplices de su gozo y queremos compartirlo con nuestros lectores. ⚘ De forma similar, en nuestra serie de ediciones sobre las ciudades buscamos un ángulo nuevo para verlas e invitar a redescubrirlas. En nuestra serie sobre las relaciones culturales de México con otros países localizamos y exponemos imágenes compartidas y fascinaciones mutuas. Para todos los temas que exploramos el arte siempre es en nuestras páginas un detonador de pasiones, una dimensión irremplazable de la vida.

⚘

B E L L E Z A

FRANZ MAYER FOTÓGRAFO

El México del célebre colec-
cionista alemán a quien el
Museo Franz Mayer debe su
nombre y su acervo.

CERÁMICA INGLESA
EN MÉXICO

Cómo la fina loza inglesa se
acomodó a la cotidianidad
del siglo XIX mexicano.

REBOZOS DE LA COLECCIÓN
ROBERT EVERTS

Historia del rebozo y de una
colección excepcional reunida
por un diplomático belga.

CORPUS AUREUM:
ESCULTURA RELIGIOSA

La ideología y la técnica
detrás de los cuerpos dorados
y suntuosos de vírgenes y santos.

COLECCIÓN USO Y ESTILO

ARTES
DE MEXICO

Plaza Río de Janeiro 52, Colonia Roma, México D.F. 06700   tel 5208 3217, 5208 3205 fax 5525 5925 artesmex@internet.com.mx

U T I L I D A D

LACAS MEXICANAS

Un arte ancestral lleno de
colorido en el que coinciden
influencias orientales,
europeas e indígenas.

TARACEA ISLÁMICA
Y MUDÉJAR

El arte de la incrustación
sigue los trazos dictados por la
geometría y la estética del Islam.

LA CHAQUIRA EN MÉXICO

Un sencillo material que viajó
por el mundo para convertirse
en joya, prenda y recreación
del universo.

RETABLOS Y EXVOTOS

Pinturas anónimas e imperfectas
que, no obstante, logran ser
vínculos efectivos entre los
humanos y la divinidad.

Un concepto editorial creado por *Artes de México*
para ofrecer un libro de arte más esmerado en su
realización y, al mismo tiempo, más abordable.
Coeditada con el Museo Franz Mayer.

Pasta dura: $150 pesos en México; $35 USD en el extranjero   Pasta rústica: $120 pesos en México; $30 USD en el extranjero

 # LIBROS DE LA ESPIRAL

Retrato de arquitecto con ciudad
TEODORO GONZÁLEZ DE LEÓN
(CON PRÓLOGO DE OCTAVIO PAZ)
Ensayos y dibujos que ilustran la convergencia del arte y la poesía en la arquitectura.

Voces de tinta dormida.
Itinerarios espirituales de Luis Barragán
ALFONSO ALFARO
La inteligencia y los afectos del arquitecto tapatío descifrados a partir de su biblioteca.

Arquitectura vegetal. La casa deshabitada y el fantasma del deseo
LOURDES ANDRADE
Sobre los vínculos laberínticos entre surrealismo, arquitectura y literatura.

La ciudad en estampas: Zacatecas 1920-1940
EUGENIO DEL HOYO
Escenas de la vida cotidiana de una excepcional ciudad de la provincia mexicana.

Arquitectura imaginaria: El Palacio Azul
LEÓN R. ZAHAR
Entre el sueño y la realidad se extiende un puente hacia el arquitecto medieval del Islam.

Pasta dura, encuadernado en tela: $170 pesos en México; $35 USD en el extranjero.

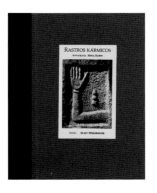

Herbarium. *Plantas mexicanas del alma*
FOTOGRAFÍA DE PATRICIA LAGARDE; TEXTOS DE SALVADOR ELIZONDO, XAVIER LOZOYA Y ALFREDO LÓPEZ AUSTIN
Los antiguos mexicanos hallaron en las flores la imagen del cosmos y la salud del alma.

Rastros kármicos
FOTOGRAFÍA DE NINA SUBIN
TEXTO DE ELIOT WEINBERGER
Un ensayo sobre la experiencia poética e imágenes que son cada una un gran poema.

Fábrica de santos
FOTOGRAFÍA DE TOMÁS CASADEMUNT
TEXTO DE ÁLVARO MUTIS
Santos de frágil yeso se descubren como metáfora descarnada de la condición humana.

Concierto en La Habana
ANTOLOGÍA DE ORLANDO GONZÁLEZ ESTEVA
Las mejores plumas de Cuba —y algunas extranjeras— celebran a la multifacética capital cubana.

Cuerpos en bandeja. *Frutos y erotismo en Cuba*
ORLANDO GONZÁLEZ ESTEVA
Mangos, mameyes, ¡vaya Papaya! y otros muchos frutos alimentan la poesía, el arte y la música cubanos.

Para disfrutar un viaje a plenitud,

hay que tener confianza en el timonel...

Hágase acompañar de las
GUÍAS DE ARTES DE MÉXICO,
la colección con experiencia.

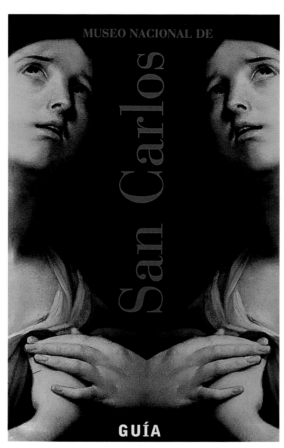

LA GUÍA DEL TEQUILA
Quienes se inician en el
tema y quienes ya tienen
camino andado encuentran
aquí cómo magnificar una
experiencia de sabor y
tradición. Edición bilingüe.

**LA GUÍA DEL MUSEO
NACIONAL DE
SAN CARLOS**
Los grandes maestros del
arte europeo se dan cita en
esta obra dedicada a la
colección excepcional de un
museo también único.

**LA GUÍA ARTES DE
MÉXICO. MUSEOS,
GALERÍAS Y OTROS
ESPACIOS DEL ARTE**
Nueva edición de la ya
clásica referencia en
materia de arte, con
información de la ciudad
de México, Guadalajara,
Monterrey, Puebla, Oaxaca
y San Miguel de Allende,
Edición bilingüe.

$150 **pesos** • $30.00 dls.

DÍA
de
MUERTOS

SERENIDAD RITUAL

ARTES
DE MEXICO

REVISTA LIBRO NÚMERO 62. PRIMERA EDICIÓN, 2002. FUNDADA EN 1953 POR MIGUEL SALAS ANZURES Y VICENTE ROJO

DIRECCIÓN GENERAL
Alberto Ruy Sánchez Lacy
Margarita de Orellana
GERENTE DE ADMINISTRACIÓN
Teresa Vergara
JEFA DE REDACCIÓN
Ana María Pérez Rocha
JEFA DE DISEÑO
Carolina Martínez
JEFA DE PRODUCCIÓN
Susana González Ruiz
REDACCIÓN
Gabriela Olmos
DISEÑO
Angélica Hernández
Mariana Zanatta
EDICIÓN EN INGLÉS
Michelle Suderman
ASISTENTE DE REDACCIÓN
Eduardo González
CORRECCIÓN
Elsa Torres Garza
TRADUCCIÓN AL ESPAÑOL
Verónica Murguía
TRADUCCIÓN AL INGLÉS
David Bevis
Carole Castelli
Lorna Scott Fox
Richard Moszka
Harry Porter
PUBLICIDAD
Laura Becerril

OFICINAS Y SUSCRIPCIONES
Plaza Río de Janeiro 52
Col. Roma. 06700, México, D. F.
Teléfonos:
5525 5905, 5208 4503
5525 4036, 5208 3205
Fax: 5525 5925
www.artesdemexico.com
artesmex@internet.com.mx

DISTRIBUCIÓN Y VENTAS
Tehuantepec 148
Col. Roma Sur. 06770,
México, D. F.
5584 8248 5264 1782
Fax: 5564 3844
artesdemexico@artesdemexico.com

IMPRESIÓN
Transcontinental Reproducciones
Fotomecánicas, S.A. de C.V.
Impreso en papel Creaprint de
135 gramos, Torras Papel,
comercializado por Unisource,
S.A. de C.V. y encuadernado en
Encuadernadora Mexicana,
S.A. de C.V.

CONSEJO DE ASESORES
Alfonso Alfaro
Luis Almeida
Homero Aridjis
Juan Barragán
Huberto Batis
Alberto Blanco
Antonio Bolívar
Rubén Bonifaz Nuño
Julieta Campos
Efraín Castro
Leonor Cortina
José Luis Cuevas
Salvador Elizondo
Cristina Esteras
Manuel Felguérez
Beatriz de la Fuente
Carlos Fuentes
Sergio García Ramírez
Concepción García Sáiz
Teodoro González de León
Andrés Henestrosa
José E. Iturriaga
Miguel León-Portilla
Jorge Alberto Lozoya
Alfonso de Maria y Campos
José Luis Martínez H.
Eduardo Matos Moctezuma
Vicente Medel
Álvaro Mutis
Bruno J. Newman
Luis Ortiz Macedo
Brian Nissen
Ricardo Pérez Escamilla
Jacques Pontvianne
Pedro Ramírez Vázquez
Vicente Rojo
Guillermo Tovar
José Miguel Ullán
Juan Urquiaga
Héctor Vasconcelos
Eliot Weinberger
Ramón Xirau

ASAMBLEA DE ACCIONISTAS
Víctor Acuña
Cristina Brittingham de Ayala
Mita Castiglioni de Aparicio
Armando Colina Gómez
Margarita de Orellana
Olga María de Orellana
Ma. Eugenia de Orellana de
Hutchins
Octavio Gómez Gómez
Rocío González de Canales
Michèle Sueur de Leites
Bruno J. Newman
Jacques Pontvianne
Abel L. M. Quezada
Alberto Ruy Sánchez Lacy
José C. Terán Moreno
Teresa Vergara
Jorge Vértiz

CONSEJO DE ADMINISTRACIÓN

Presidente
Alberto Ruy Sánchez Lacy
Vicepresidente
Jacques Pontvianne
Consejeros
Octavio Gómez Gómez
Phillip Hutchins
Bruno J. Newman
Margarita de Orellana
Abel L. M. Quezada
Enrique Rivas Zivy
Jorge Sánchez Ángeles
Teresa Vergara
Comisario
Julio Ortiz
Secretario
Luis Gerardo García Santos Coy

ASESOR LEGAL EN
DERECHO DE AUTOR
J. Ramón Obón León

INSTITUTO DE INVESTIGACIONES
ARTES DE MÉXICO
Director
Alfonso Alfaro

REPRODUCCIÓN DE OBRA
Jorge Álvarez: 52
Eduardo Cervantes: 24-25
Francisco Kochen: 17, 63
Mary Anne Martin Fine Art: 46-47

ASESORÍA ICONOGRÁFICA
Ricardo Pérez Escamilla

AGRADECIMIENTOS
Editorial Era
Neus Espresate
Marcelo Uribe
Fondo de Cultura Económica
Adolfo Castañón
Jania de Icaza
Fundación Andrés Blaisten
Martha González
Fundación Mariana Yampolsky
Alicia Ahumada
Museo Arte Contemporáneo
Ateneo de Yucatán (MACAY)
Carlos García Ponce
Miguel Alfonso Madrid Jaime
Mary Anne Martin Fine Art
Ilya Adler
José Luis Bermeo
Raúl Heriberto Cano
Quica López
Rodrigo Pimentel
Froylán Ruiz

Artes de México es una
publicación de Artes de México y
del Mundo, S.A. de C.V.
Miembro núm. 127 de la CANIEM.
Certificado de Licitud
de Contenido núm. 56.
Certificado de Licitud de Título
otorgado por la Comisión
Calificadora de Publicaciones y
Revistas Ilustradas núm. 99.
Reserva de Título núm.
04-1998-061720262000-102.
Como revista:
ISSN 0300-4953.
Como libro:
ISBN 970-683-065-0
Registro postal de publicaciones
periódicas: PP09-0947
Distribuida por *Artes de México*
y DIMSA, Mariano Escobedo 218,
Col. Verónica Anzures,
11370, México, D. F.
Septiembre de 2002.

Naret. *Ofrenda*. 1995. Acrílico sobre fibracel. 50 x 66 cm.
PÁGINA 1: George O. Jackson. Cementerio en Guadalupe Victoria, Chiapas. 2000.
PÁGINAS 4 Y 5: Jorge Pablo Aguinaco. Ofrenda en Tutotepec, Hidalgo. 2000.

En la noche del primero al dos de noviembre, el cementerio es muy impresionante. Las flores sobre las tumbas son muchísimas. Pero las velas encendidas sobre ellas son más. [...] Todo el cementerio, esa noche, es un gran jardín de fuego. El rumor de las oraciones da calor al viento frío. A media noche hay que comer y que beber. Y se bebe fuerte porque los recuerdos así lo necesitan. Caminando encontré una tumba fresca. Rezaban terminando el rosario. Me uní al grupo y respondí a la letanía. Cuando escuché "Consoladora de los afligidos" miré al cielo, me dolió la vida, y di gracias por estar viviendo. Carlos Pellicer

Paul Czitrom. Panteón de Tetelcingo, Puebla, en día de Muertos. 1999.

ÍNDICE

NUEVAS PREGUNTAS AL DÍA DE

MUERTOS

Margarita de Orellana

"Los mexicanos de la ciudad encuentran a la muerte con juegos y diversiones y los indios de los pueblos con toda tranquilidad".

Frances Toor

La curiosidad, el asombro y la fascinación son las emociones que impregnan este número de *Artes de México*. Al contrario de quienes piensan que la cultura sobre la muerte en México ya ha sido completamente explorada, nosotros creemos que comprende un universo más rico de lo que comúnmente se piensa, y del cual falta mucho por ser estudiado. Cada una de nuestras ediciones busca alejarse de los estereotipos y de los lugares comunes, al plantearse diversas interrogantes desde ángulos con frecuencia inesperados. Nuestra primera exploración sobre este tema *(El arte ritual de la muerte niña,* número 15 de nuestro catálogo) nos llevó a difundir un género artístico, hasta entonces poco conocido, que forma parte de los rituales de la muerte en México, e incluso dimos a la representación plástica de infantes difuntos un nombre que ha sido usado a partir de entonces, como si siempre se hubiera llamado así. Abrimos caminos y creamos conceptos, maneras de comprender: labor fundamental del proyecto cultural que es *Artes de México*. ❋ En esta ocasión hemos querido abordar el fenómeno del día de Muertos en su variada celebración en muchas de las comunidades rurales del país, la mayoría de ellas indígenas. En el lapso de esta fiesta se suspenden casi todas las actividades cotidianas. Los espacios dentro de los hogares y en los cementerios toman formas distintas y significados muy variados. Los muertos cobran vida en los recuerdos de los vivos, quienes evocan sus formas de ser, sus gustos, sus virtudes y defectos. Entre las almas que son esperadas y los de este mundo se establece un diálogo intenso. No hay lugar para el rechazo; pero quizá sí para un reproche o dos. ❋ Cada pueblo ha establecido sus

George O. Jackson. Cementerio en El Male, Chiapas. 2000.

formas para este diálogo: sus estrictas normas de hospitalidad, sus códigos de conducta centenarios, que cada integrante conoce perfectamente, porque las leyes de esa convivencia son pautas de vida. En las comunidades que celebran el día de Muertos no hay sorpresa. Para quienes las observamos desde afuera, sí la hay. En ese diálogo entre vivos y muertos, encarnados en los altares u ofrendas, notamos un rasgo común asombroso: un sentido estético avasallador. En composiciones efímeras hechas con tierra, flores, velas, canastas, papeles de colores, cruces de madera o de fierro, y hasta adornos de plástico, reconocemos una de las más fértiles dimensiones del arte popular. En cada una de las majestuosas ofrendas descubrimos un arte de trascendencia vital, además de una descarga del alma que resulta en una explosión de formas y colores.  Hay ofrendas que, con unos cuantos pétalos de cempasúchil y dos o tres velas, forman, bajo un profundo color ocre, una composición de gran sencillez y armonía. Hay otras, muy barrocas, que revelan una dimensión estética que nos hace sentir más plenos, al mostrarnos esa natural capacidad de crear belleza. Más que celebrar a los muertos, los artífices de estas obras ¿no estarán celebrando a la vida? ¿No serán estos rituales una intensa prolongación de la vida en las inmediaciones de la muerte?

Es imposible dar cuenta de los miles de rituales de día de Muertos que se llevan a cabo en México. La pequeña muestra que aparece en estas páginas es bastante elocuente. Varios de nuestros autores han señalado los ecos prehispánicos en algunos de ellos, pero también las influencias directas de nuestro pasado hispánico. Dominique Dufétel nos muestra algunas similitudes en creencias y costumbres de ambas vertientes culturales, y sugiere que, al haber coincidido al momento de la Conquista una celebración mexica de la muerte con el día de Todos Santos europeo, estas fiestas se fundieron para dar pie a toda la grandilocuencia y el fervor con la que se celebra hasta hoy el día de Muertos. A grandes rasgos, Ruth D. Lechuga nos describe algunas características específicas de esta ceremonia entre los huastecos, totonacos, nahuas, chatinos, y encuentra reminiscencias prehispánicas en algunas de ellas. Además, nos aclara que mientras "los cristianos rezan por las almas de los muertos, los indígenas les rezan a ellas". Cinco siglos después de la evangelización, este tipo de religiosidad se mantiene vigente. Laurette Séjourné,

en su estancia entre los huaves de San Mateo del Mar durante la década de 1950, se percató de que en este poblado del Istmo de Tehuantepec los altares de muertos no estaban dedicados a algún difunto en particular. Esos días se reciben a todas las almas, que tienen la libertad de circular por donde les plazca. Sin embargo, son rechazadas aquellas que murieron fuera del pueblo, porque las consideran extranjeras indeseables. ✳ Teotitlán del Valle, en Oaxaca, es un pueblo de tejedores extraordinarios, que guarda sus tradiciones con celo extremo. Mary Jane Gagnier es parte de esa comunidad desde hace más de 15 años. Conoce profundamente los detalles imperceptibles y los significados del ritual de día de Muertos, y generosamente los comparte con nosotros. Su historia nos revela los lazos profundos que existen en esa comunidad, y la manera en que se estrechan a través de estos rituales. Su testimonio nos enriquece y nos asombra. ✳ El relato que recoge Fernando Benítez de un indígena mazateco de la sierra de Oaxaca nos advierte del castigo que ameritan los anfitriones que no reciben a sus difuntos como se debe. ✳ Más adelante, Marta Turok nos señala cómo el mercado ha generado, en algunos lugares del centro del país y en las mismas ciudades, una demanda por los objetos antiguamente utilizados para ofrendas, hasta convertirlos en artesanía decorativa desprovista de su uso original. Es obvio que muchos talladores, ceramistas y otros creadores encontraron el lado espectacular de este ritual y sus beneficios económicos. ✳ La lectura simbólica que realiza Gabriela Olmos del día de Muertos, basada en las ideas del reconocido historiador de las religiones Mircea Eliade, nos remite a las muy antiguas ceremonias agrícolas "en las que la muerte está vinculada con la posibilidad de renovación". ✳ Las calaveras, que forman parte del paisaje urbano del día de Muertos, no aparecen en el ámbito rural. La calaca participa en la tendencia a pensar que la relación específica que tiene la muerte con los mexicanos nos da una identidad. Además, representa otra forma de relación vinculada con el desafío y la risa. La fiesta urbana se ha despojado de religiosidad, pero eso no significa que la sensibilidad artística no se agudice en este escenario. Por eso, las calacas de azúcar, chocolate, papel picado y papel maché serán protagonistas de un número posterior dedicado al mismo tema. Por lo pronto esperamos que éste los transporte a un mundo lleno de belleza y serenidad. ▲

PÁGINAS 9 Y 11: Paul Czitrom. Tetelcingo, Puebla. 1999.

◆ LOS ◆ ANTEPASADOS OCULTOS

Dominique ◆ Dufétel

EN EL MÉXICO PREHISPÁNICO SE CELEBRABAN VARIAS FIESTAS QUE TENÍAN RELACIÓN CON LA MUERTE, Y QUE ESTABAN REPARTIDAS EN EL CALENDARIO AGRÍCOLA. EN ESTAS PÁGINAS, EL AUTOR ENUMERA LAS CEREMONIAS QUE INTEGRABAN EL GRAN CICLO DE LA MUERTE EN LAS TRADICIONES DEL ALTIPLANO, Y QUE, DURANTE LA COLONIA, SE FUNDIERON CON LA CEREMONIA CRISTIANA DE TODOS SANTOS.

Quién podría negar que la flor de cempasúchil y el día de Muertos mantienen una relación cuyas raíces se hunden en la época precortesiana? Para persuadirse de lo profundamente antiguo de esta tradición, basta con rondar por los grandes mercados de la ciudad de México, como el de Xochimilco, los días precedentes a Todos Santos y ver los amontonamientos de la flor de muertos; pasear por cualquier panteón mexicano el dos de noviembre y embriagarse con su olor penetrante; dejarse envolver por el ambiente que es creado por esta flor, que presta su estética a los altares, las tumbas, los caminos de las ánimas. Esta flor de innumerables pétalos, pues es la flor infinita (cempasúchil, *cempoalxóchitl*, la flor de veinte, es decir de infinitos pétalos), cubre en estas fechas cualquier cosa relacionada con los difuntos con su cálida nieve amarilla. Y sin embargo el estudio de las principales fuentes que nos hablan de las fiestas y ceremonias de los antiguos mexicanos nos revela que no existía tal asociación; que, si bien la flor es eminentemente autóctona y antigua, se usaba en numerosas festividades junto con muchas otras flores, tan importantes en aquel juego sin fin de la fiesta, la vida y el sacrificio. ❋

LAS FIESTAS MEXICAS DE LA MUERTE

La manera de celebrar a los difuntos en el México prehispánico no era una, sino varias, a lo largo de los 18 meses del año azteca, casi siempre colaterales de otras festividades; de ahí que podamos concluir fácilmente que, a partir de la Conquista, las múltiples formas de celebración se concentraron en los días impuestos por la religión cristiana. No obstante, al indagar más a fondo encontramos que entre todas las ceremonias dedicadas a los muertos destacaban particularmente dos: la primera, celebrada en el noveno, llamada *Tlaxochimaco* o *Miccailhuitontli,* es decir, fiesta pequeña de los muertos o fiesta de

los muertos pequeños, y la otra, *Xócotl Uetzi,* también nombrada *Hueymiccaihuitl,* la fiesta grande de los muertos, festejada en el décimo mes. Es muy probable que el rito se celebrara en el último día de la veintena que englobaba cada mes. Quizá por ello los días de celebración de los difuntos se establecieron en México el primero y el dos de noviembre, primero la fiesta de los niños, y luego la de los adultos muertos, como en la tradición antigua. ❋ Fuera de estas dos grandes celebraciones se rendía culto a los difuntos en otras ocasiones, aunque en cada una se celebraba a diferentes clases de ánimas. En la concepción mesoamericana del mundo, la existencia del ser después de la muerte no dependía de la manera en que se había vivido —como en la religión cristiana, profundamente ética— sino de la circunstancia en que se había muerto, y ésta estaba predestinada en el calendario mágico desde su nacimiento. Durante la fiesta de *Tepeilhuitl,* por ejemplo, se "hacían imágenes de montes de pasta de *tzoalli* a honra de los montes altos donde se juntan las nubes, y en memoria de los que habían muerto en agua o heridos de rayo, o de los que no se quemaban sus cuerpos sino que los enterraban", es decir a los que iban al paraíso de Tláloc. En el mes de *Quecholli,* se celebraban a los muertos en la guerra, los que iban a acompañar al sol en su carrera hasta el cenit y bajaban por la tarde transformados en mariposas y colibríes.

Durante el mes de *Izcalli* se celebraba la fiesta de los tamales en honor al dios del fuego Xiutecuhtli. En esta ceremonia se ofrecían cinco tamales a las llamas del hogar; para honrarlos, se disponía uno sobre cada sepultura, por lo que se entiende que no eran difuntos comunes. "Esto se hacía antes de comer los tamales y después se los comían todos, no dejaban ni uno". ❋ Estas fiestas se sumaban a otras mucho más importantes, pues cada mes estaba dedicado a un

Tlaxochimaco, fiesta pequeña de los muertos. Códice Borbónico.

PÁGINA SIGUIENTE: *Xócotl Uetzi,* fiesta grande de los muertos. Códice Borbónico.

Jorge Pablo Aguinaco. Ceremonia del palo volador, cuyo rito guarda ecos del *Xócotl Uetzi.*

dios que, al igual que en cualquier religión, para los mesoamericanos eran, en su manifestación más primitiva, los mismos antepasados. En muchos mitos amerindios, éstos se transformaban en héroes y, con el tiempo, estos mismos héroes en dioses. En la estructura tan compleja de la religión mexica, en la que los dioses ocupan un lugar preponderante, el culto a los muertos parece limitarse al ámbito familiar, ligado desde luego al linaje. El hecho de incinerar a sus muertos —costumbre al parecer heredada de los toltecas, pero que se adaptaba perfectamente a la situación física del Valle de México, espacio lacustre que dificultaba la excavación de tumbas a gran escala— seguramente influiría mucho en los ritos mortuorios y puede explicar parcialmente el papel secundario del culto del día de Muertos. La tumba, espacio físico tan importante en la celebración actual, estaba casi ausente, quizá por ello tenga tanta relevancia el altar de muertos como un doble de la lápida sepulcral. ❊

EL GRAN CICLO ANUAL DE LA MUERTE

Es importante explorar las relaciones simbólicas posibles entre las celebraciones prehispánicas de los difuntos y las fiestas a las que se sumaban, ya que, como afirma Mircea Eliade, "el símbolo entrega su mensaje y cumple su función aun cuando su significado escape a la conciencia". ❊ Es necesario hacer una aclaración con respecto al calendario antiguo. Los mexicas consideraban el año solar de 365 días (18 veintenas más 5 días aciagos), pero es muy probable que no hayan corregido el error astronómico (agregando, por ejemplo, como hacemos en la actualidad, un día cada cuatro años). Considerando que el origen de su calendario se remontaba a la época tolteca, hacia el siglo VIII de nuestra era, en el momento de la Conquista éste se había retrasado cuando menos seis meses. Esto provocaba un desfase significativo entre el momento del ciclo agrícola al que pretendía estar relacionado cada mes —sobre todo en su manera de festejar a los dioses siempre asociados con la naturaleza— y el momento real en que se celebraba cada fiesta.

Podemos pensar que, como en cualquier tradición cuyos orígenes se han perdido, los mexicas seguían realizando los ritos pero con cierta confusión, lo que nos hace pensar en un culto que se ubicaba más cerca de la religiosidad que del misticismo.
❊ La primera fiesta de los muertos, la que —decíamos— estaba dedicada a los muertos pequeños, llamada *Miccailhuitontli* entre otros pueblos del Altiplano, era conocida por los mexicas como *Tlaxochimaco*, es decir "nacimiento de flores". En esta ceremonia "se ofrecían las primicias de las flores", según nos dicen los cronistas, con el inconveniente de que en el siglo XVI ocurría en agosto, momento en que la flora está en su apogeo. En cambio, en el siglo VIII esta fiesta se celebraba en febrero, momento en que en el Altiplano brotan los primeros retoños. Así se entiende el significado de las muertes niñas ofrecidas en la fiesta al dios supremo, Huitzilopochtli, al igual que las primeras flores del ciclo natural: estos muertos chicos iban directamente al cielo más alto, es decir al lugar divino por excelencia, donde se reintegraban al magma vital, de donde nacía todo ser. Su muerte prematura no era una desgracia sino un sacrificio divino. "Dos días antes que llegase esta fiesta —nos cuenta el padre Sahagún— toda la gente se derramaba por los campos y maizales a buscar flores, así silvestres como campesinas de las cuales unas se llamaban…" y cita una larga lista de nombres de flores, todas de la temporada de lluvias excepto el cempasúchil que parecía entonces adelantarse a su estación y que, al día siguiente, "en amaneciendo ensartaban en sus hilos [para hacer] sogas gruesas de ellas, torcidas y largas, y las tendían en el patio de aquel cu, presentándolas a aquel dios cuya fiesta hacían". ❊ En esta fiesta, las flores no se ofrecían a los pequeños muertos, sino que representaban a los niños mismos que se ofrecían al dios. Además, "el último día del mes, los hombres iban al monte a cortar un árbol entero, lo alisaban y lo traían a la entrada de la ciudad. A este palo le rendían culto con ofrendas, comidas e inciensos. Le ponían el nombre de *xócotl*" (que derivaría en la pala-

bra jocote, fruto ácido del jocotero, un árbol amarillo). ❋ En el mes siguiente, durante el *Xócotl Uetzi*, dedicado a los muertos grandes, "levantaban el madero —dice Durán— del suelo y lo enhestaban en el patio del templo y ponían en la cumbre un pájaro de masa todo adornado". Sahagún dice que arriba se colocaba la figura de pasta del dios que se celebraba, es decir, Xiutecuhtli. El momento culminante de la fiesta sucedía cuando todos los voluntarios jóvenes acudían a subir como podían al palo liso para arrancar la cabeza y otras partes del pájaro. Los cuatro primeros eran los ganadores y enseguida hacían penitencia. El mismo día se derribaba el palo y la multitud lo deshacía hasta volverlo astillas que se llevaban como si fueran reliquias —agrega Durán— "porque esto era el significado del nombre *Xócotl Uetzi*, la caída de *xócotl*". ❋ Esta fiesta, que ocurría originalmente en febrero, nos recuerda al actual rito del palo volador, herencia de las prestigiadas culturas de la costa del Golfo, famoso en la región de Papantla entre los actuales totonacos, pero mucho más completo entre los otomíes de la sierra poblanohidalguense, donde ocupa un lugar preponderante en la fiesta del carnaval, acorde con la cosmovisión indígena. Según el antropólogo Jacques Galinier, quien ha registrado las variantes de este rito otomí, "el carnaval inaugura el inicio del cómputo anual", y se sitúa en uno de los dos límites del año: "la primera fase interequinoccial que dura seis meses (de marzo a octubre), está separada de la segunda (de noviembre a febrero) por dos fechas límite: la del carnaval y la del día de Muertos". Estos dos polos calendáricos comparten otra coincidencia: son los momentos en que "los muertos efectúan cada año dos idas y venidas de su morada al pueblo". Toda vez que es válido interpretar lo prehispánico por la etnología de los indígenas actuales, podríamos concluir que pareciera que la fiesta mexica de *Xócotl Uetzi* (cuyo origen otomí no se debe descartar, afirma Galinier), reunía a la vez el carácter del carnaval actual y el del día de Muertos. ❋ En la danza otomí del volador, cuatro son los "viejos" que se suben al palo y uno, el "Malinche", que baila arriba del palo y que es el águila o gavilán, que representa al ave solar. Los "viejos", al bajar, descienden al mundo de los muertos, mientras el "Malinche", con su vuelo alcanza el cielo. Diría Galinier que "los huastecos consideran a los voladores como muertos divinizados que escoltan al sol hasta donde se oculta". Tanto el palo (que es un falo cósmico) de los voladores como el *xócotl* antiguo pueden considerarse ejes del mundo que permiten la circulación entre sus diversos estados. "El palo es el numen de la fertilidad, ligado a un principio de vida, simbolizado por el águila, y a un principio de muerte, marcado por la presencia de los viejos", concluye Galinier. El rito antiguo de subir al palo para decapitar al ave solar de pasta de maíz (que se encarnará en el "Malinche" otomí), es decir al apropiarse del sol que es la vida en una celebración a los muertos, ocurría originalmente, al igual que el carnaval otomí actual, en un momento de esterilidad de la tierra (hacia febrero) cuando era necesario invocar las fuerzas de los dioses —de los antepasados ocultos—, que volverían a fecundar la tierra. ❋ Casualmente, las fiestas del mes de *Quecholli* ya mencionadas, en que se celebraban a los muertos en la guerra, coincidían, en el siglo XVI, con las de Todos Santos del calendario gregoriano. En estos días, en que se festejaba a Mixcóatl, deidad de la caza y del fuego astral, los mexicas se reunían para confeccionar saetas y dardos para la guerra y la cacería. El último día del mes hacían flechas chicas y las ataban de cuatro en cuatro junto con astillas de ocote. Depositaban los manojos sobre los sepulcros de los guerreros como ofrendas. Junto colocaban dos tamales, los dejaban un día entero sobre la sepultura y en la noche quemaban los ramilletes de flechas. Como en otras ocasiones notamos la ausencia del cempasúchil, pero aquellos ramilletes que arden en la noche no pueden sino hacernos pensar en estas flores, con su color ígneo y su proliferación de pétalos, depositadas

Alicia Ahumada. Ofrenda en Huautla, Hidalgo. 2000.

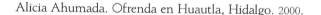

sobre las tumbas actuales. ❀ Esta otra fiesta de muertos ocurría a principios de noviembre, cuando en el punto exacto donde se ocultaba el sol podía verse la figura de Mixcóatl, principal dios de los chichimecas, que tenía la forma de la Serpiente de Nubes. Parecería que aquí hubo una adecuación del ritual con el momento del año, quizá una adaptación tardía. De cualquier forma, el que coincidiera en el momento de la Conquista con el ritual católico de Todos Santos puede haber influido para dar a esta fiesta cristiana —secundaria en Europa— todo el fervor y el fasto con que le celebramos desde entonces. Con esta adaptación se cristalizaron en dos fechas todas las manifestaciones del gran ciclo anual de la muerte. ❀ Sin embargo, si admitimos —como lo atestigua Galinier para los otomíes actuales— que los antepasados prehispánicos se manifestaban dos veces al año, en cada equinoccio, ¿qué ritos antiguos asociados con esta doble ruptura en el ciclo vital de la tierra podrían relacionarse con el culto a los muertos? ❀ El mes que seguía a *Xócotl Uetzi, Ochpaniztli*, que hubiera correspondido a marzo en el siglo VIII, se celebraba a la diosa Toci, madre de los dioses y corazón de la tierra. El último día de esta veintena se realizaba el sacrificio de una mujer, doble de la diosa, por desollamiento. El gran sacerdote revestía aquella piel para bailar durante todo el día y con la piel de sus muslos se hacía la máscara del dios del maíz, Cintéotl. ❀ Medio año después, en el mes de *Tlacaxipehualiztli*, se celebraba a Xipe Tótec, con otro desollamiento, pero esta vez el sacerdote revestía la piel de un hombre que representaba al dios. Así que, como lo demuestra el nahuatlato Salvador Díaz Cíntora y contrariamente a la idea difundida, Xipe Tótec no era el dios de la primavera que se pretende, sino una deidad del otoño. La piel desollada que reviste el sacerdote en esta ocasión la conserva durante días "hasta que los cueros se rompían"; es una piel amarilla, apergaminada, manchada, descompuesta, no es la piel joven de Toci que anuncia la primavera y el verano, es la piel del "viejo", la piel del muerto que anuncia el otoño y el invierno. "La mitad del año, pues —escribe Díaz Cíntora— está regida por el dios de la costa zapoteca y tlapaneca, Xipe Tótec; la otra mitad, por la diosa madre de la Huasteca, de la costa del seno mexicano. [...] En *Tlacaxipehualiztli* un hombre, el sacerdote, se viste la piel de otro hombre, el sacrificado; es la pura masculinidad, necesariamente estéril. En *Ochpaniztli*, el sacerdote se reviste de la piel de una mujer; (...) es el elemento masculino en unión al femenino, metido literalmente en su piel, sacramento de la fertilidad y de la vida en la tierra". ❀ También durante el mes dedicado a Xipe Tótec, se fabricaba un pan, *cocolli*, con los granos sagrados de unas mazorcas, llamadas *ocholli*, las cuales se colgaban de los techos por sus envolturas después de la cosecha. De esta semilla, y no de otra, se tenía que sembrar al año siguiente, pues era semilla de un dios que exhibía y anunciaba la muerte. El *cocolli* era, pues, un pan de ofrenda sagrada, pan de maíz, amarillo como la piel apergaminada de Xipe Tótec, pan que auguraba la muerte de la naturaleza y que podría ser el origen del actual pan de muerto. ❀ Cuando las lluvias se han retirado del cielo, y la tierra entra en un periodo de calma, antes de cubrirse con la piel seca de la vegetación quemada por las heladas, antes de las torturas de la sequía futura, la tierra se viste con una piel de flores amarillas: entonces brotan el girasol, la flor de Santa María y, entre todas ellas, el tan peculiar cempasúchil, de un color amarillo íntimo, como el reflejo de un sol nocturno, un amarillo anaranjado, bello y triste como ese sentimiento de pérdida del verano. ¿Quién negaría que este símbolo de los antepasados ocultos hunde sus raíces en el México prehispánico? ❀

DOMINIQUE DUFÉTEL. Traductor, escritor y maestro en letras hispánicas por la Universidad de París. Es investigador y escritor de la serie de videos *Ciudades del México antiguo*. En *Artes de México* ha coordinado varios números. Es becario de traducción literaria del FONCA.

Fiesta del *Tlacaxipehualitztli*. Códice Florentino.

RITUALES

◆ DEL DÍA DE ◆

MUERTOS

Ruth • D. • Lechuga

ESTA AUTORA, EN SUS MÚLTIPLES VIAJES POR LOS PUEBLOS MEXICANOS, TESTIFICÓ ALGUNAS DE LAS DISTINTAS MANERAS DE RECIBIR A LOS MUERTOS EN SU DÍA. EN ESTE ARTÍCULO, ELLA RELATA LAS SIMILITUDES, LAS DIFERENCIAS, Y ENCUENTRA ALGUNOS ECOS DE LOS RITOS PREHISPÁNICOS QUE, A PESAR DE LOS SIGLOS, SIGUEN VIVOS EN LA CONCIENCIA DE CIERTAS COMUNIDADES INDÍGENAS.

omo hizo notar Paul Westheim: "Lo único que tiene en común el día de los muertos mexicano con la fiesta de los fieles difuntos, tal como se celebra en Europa, es el hecho de tratarse aquí y allá de un día consagrado a la memoria de los muertos queridos". ✻ Mientras que para el europeo la simple mención de la muerte es tabú, como si al rechazar el pensamiento se pudiera evitar el hecho, el mexicano se familiariza con la idea desde la niñez. Esta cercanía se manifiesta de muchas maneras, por ejemplo las múltiples expresiones para decir que una persona murió: se peló, se petateó, estiró la pata, lo sacaron con los tenis por delante, felpó, se difunteó, se enfrió, se ausentó, se nos fue, se lo chupó la bruja, se lo cargó patas de catre, entregó el equipo, acompañó a la flaca, dobló el pico, lo cafeteamos, etcétera. ✻ La diferencia también se deja ver en el ritual: el europeo visita el cementerio el día de los fieles difuntos para recordar a sus seres queridos ya fallecidos, mientras que el mexicano piensa que en estos días los difuntos regresan a la tierra, para pasar el día con sus parientes. Incluso se ha heredado de la tradición prehispánica la costumbre de dedicar un día a los niños y otro a los adultos muertos. Actualmente, la fiesta puede durar muchos días, además de los dedicados a los muertos pequeños y adultos, respectivamente. ✻ Cuenta María Cristina Morales, por ejemplo, que en la huasteca hidalguense se considera que san Miguel abre las puertas del cielo, para que las ánimas inicien su peregrinar y visiten a los vivos el 30 de septiembre y san Andrés las cierra el 30 de noviembre, fecha en la que todas las almas deben haber regresado a su morada. ✻ También los totonacos de la sierra concluyen las festividades hasta el día de san Andrés. A decir de los investigadores de El Colegio del Idioma Totonaco, ellos dedican, además, el día de San Lucas —18 de octubre— a aquellos que han muerto con violencia: accidentados, asesinados, ahogados. Los totonacos de Papantla, Veracruz, y los nahuas de Cuetzalan, Puebla, asignan un día, el 30 de octubre, a los niños que no han sido bautizados y, a decir de Simón Gómez Atzin lo llaman "el día de los limbos". ✻ La visita anual de los muertos no es ocasión de luto, sino motivo para celebrar una gran fiesta. Quizá una explicación para ello se encuentre en el Códice Matritense: "Decían los viejos: quien ha muerto, se ha vuelto dios. Decían: Se hizo dios, quiere decir que murió". De hecho, Robert Childs y Patricia Altman aseguran que todavía se cree que "el alma del difunto se vuelve un ser sobrenatural con el poder de interceder por los familiares vivos". Más adelante, agregan otro elemento distintivo del día de Muertos mexicano con respecto al europeo: "en la práctica católica ortodoxa, uno reza por las almas de los muertos para salvarlas del purgatorio. Los indígenas, por el contrario, no rezan por las almas, sino que les rezan a ellas". ✻ Al igual que los dioses del pasado, hay que agradar a los antepasados para que miren favorablemente las peticiones de los vivos: ellos también esperan sus ofrendas. Los descendientes deben destinar algo de su tiempo y de su dinero para agasajarlos convenientemente. En todos los pueblos se relata cómo una persona que no puso su ofrenda con el debido respeto fue castigada por los difuntos. La pena impuesta puede ir desde los azotes, hasta la muerte del pariente desobligado. ✻ Por ejemplo, en un relato recogido por Fernando Horcasitas, un hechi-

Ruth D. Lechuga. Ofrenda al ánima sola. San Gabriel Chilac, Puebla. 1964.
PÁGINA ANTERIOR: Ruth D. Lechuga. Cementerio chamula (tzotzil). Romerillo, Chiapas. 1968.
PÁGINA 17: Emilio Baz Viaud. *El coco.* 1995. Óleo sobre tela. 50 x 40 cm. Cortesía Fundación Andrés Blaisten.

cio de Milpalta cuenta que una señora encargó a su hijo ir por leña y comprar lo necesario para la ofrenda. El muchacho se distrajo todo el día, jugando en el monte y, cuando quiso regresar, "advirtió que detrás de él venía la larga procesión de los viejitos. Vio a su padre, sus abuelitos, bisabuelitos, tatarabuelitos, todos temblando de frío, muertos de hambre y sed, cargando sus morrales vacíos y sus petatitos enrollados bajo el brazo, todos deseosos de volver a su casa, donde eran esperados para calentarse, comer y dormir por una noche. ¿Qué haces aquí? —le riñeron—, ¿por qué no nos estás esperando allá en tu casa? El muchacho, azorado, no pudo contestar. Los difuntos lo amarraron a un árbol y lo dejaron allí toda la noche. Al amanecer, cuando ya se desvanecía el humo perfumado del copal, cuando se iban apagando las ceras de cada ofrenda, los viejitos difuntitos volvieron a pasar lentamente por el bosque, desataron al muchacho y siguieron su camino. El muchacho regresó a su casa llorando. —¡Ahora sí, mamacita, ya sé que vuelven los muertitos; el año

que entra les compraremos su comida y los esperaremos a todos!" ✿ Otra historia, referida por los investigadores de El Colegio del Idioma Totonaco, acabó más trágicamente: un señor que no creía en los muertos y no hizo caso de su día, cuando iba rumbo a su casa después de una parranda: "de pronto vio que venía mucha gente a su paso, pero que todos eran difuntos que ya retornaban a su mundo, entre ellos iban su papá y su mamá sin ofrenda: en cambio los otros iban bien cargados de sus ofrendas. Vio que sus difuntos sólo cargaban un pedazo de tepalcate como incensario, y que les quemaban las manos; iban lamentándose muy tristes. En-

tonces aquel hombre no dudó más, de caliente y muy apresurado fue a poner la ofrenda. No tenía mucho rato de haber llegado a su casa, cuando empezó a sentir mareos y ascos, y luego enfermó sin más tiempo: repentinamente murió. La comida que había mandado a preparar para la ofrenda, sólo sirvió de comida para su entierro". ✿ Pasada la fiesta, los muertos deben regresar a su morada. Hay algunos que, renuentes a hacerlo, rondan en las cercanías de la casa de los parientes, quizá con el objetivo de volverse espíritus chocarreros.

En algunos pueblos se hacen ceremonias especiales para evitarlo. Frances Toor relata que "en Yalalag, Oaxaca, el sacerdote, acompañado de músicos, camina a lo largo del pueblo, recitando responsos y *Salve Reginas*, con o sin música, según lo que la gente esté dispuesta a gastar. Se dicen dentro y fuera de las casas para asegurar que ningún alma se está escondiendo, porque algunos se pierden en el camino y otros están renuentes a regresar; con los rezos tienen que partir y dejar de perturbar a sus parientes". ✿ Los totonacos de la sierra hacen otra ofrenda pequeña el día de san Andrés. "Por la tarde se van al camposanto, llevando la cruz y parte de la ofrenda. En forma de despedida, rezan un rosario y unas alabanzas para que no vuelva el difunto a molestar a los familiares". ✿ Los chatinos de Yaitepec, Oaxaca hacen una procesión al cementerio, para retornar a las almas adultas a las tumbas. Danzantes enmascarados van de casa en casa, haciendo mucho ruido, para expulsar a las ánimas que no hayan regresado oportunamente. ✿ La ofrenda, llamada impropiamente "altar de muertos", es costumbre general en todo México. Puede hacerse en la casa del difunto, en el ce-

menterio, o en ambos lugares. Consiste fundamentalmente en comida, bebidas, flores y luces. Sin embargo, hay muchas variantes locales. ❂ Los totonacos de la región de Papantla, Veracruz, que son extremadamente pulcros e invariablemente llevan en un morral una muda de ropa, por si se llegaran a ensuciar en el camino, ponen junto a la ofrenda un vestuario limpio, para que el muerto pueda cambiarse al llegar y, entonces, pueda disfrutar de la fiesta. ❂ Las ofrendas en el cementerio pueden hacerse durante el día, como en San Gabriel Chilac, Puebla. Conforme llegan las familias, se sientan alrededor de las tumbas adornadas con flores, velas, canastas, comida, figuras de ángeles y otros elementos. De acuerdo con sus posibilidades económicas, contratan un músico con un piano portátil o un grupo de mariachis para alegrar a los difuntos. Aquí, como en muchos otros sitios, la comunidad pone en un rincón del camposanto, una ofrenda para el ánima sola, dedicada a todos aquellos difuntos que ya no tienen familiares que los recuerden. ❂ En

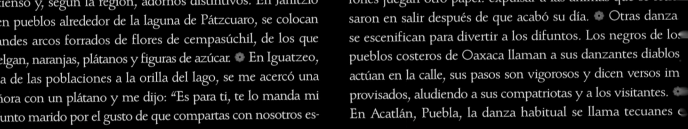

otros lugares, la celebración tiene lugar en la noche. Entonces, el cementerio se llena con velas encendidas que propician un ambiente festivo y mágico. En estas ceremonias, llamadas atinadamente "iluminadas", hay también comida, flores, incienso y, según la región, adornos distintivos. En Janitzio y en pueblos alrededor de la laguna de Pátzcuaro, se colocan grandes arcos forrados de flores de cempasúchil, de los que cuelgan, naranjas, plátanos y figuras de azúcar. ❂ En Iguatzeo, una de las poblaciones a la orilla del lago, se me acercó una señora con un plátano y me dijo: "Es para ti, te lo manda mi difunto marido por el gusto de que compartas con nosotros es-

la fiesta". ❂ Lo más notable de la iluminada es que tiene un antecedente prehispánico. Relata Sahagún sobre la fiesta del mes de *Quecholli* (del 20 de octubre al 8 de noviembre) "hacían unas saeticas pequeñas a honra de los difuntos... amarraban de cuatro en cuatro saeticas y cuatro teas con hilo de algodón flojo, y ponían los nombres sobre las sepulturas de los difuntos. También ponían juntamente un par de tamales dulces; todo el día estaba esto en las sepulturas y, a la puesta del sol, encendían las teas y allí se quemaban las teas y las saetas". ❂ En muchos pueblos hay danzas durante los días de muertos. Algunas se llevan a cabo en la calle, otros grupos van de casa en casa y otros más actúan en el cementerio. ❂ En las huastecas los danzantes se llaman *huehues* ("viejos" en idioma náhuatl) y representan a los difuntos. Danzan en parejas y sus bromas a menudo hacen referencia a un contenido sexual. También los tejorones de Yaitepec, Oaxaca, hacen bromas pesadas con chistes sexuales, amparándose en el anonimato de la máscara. En ambos casos se trata de un rito de fertilidad, lo que demuestra que la cosmovisión prehispánica respecto a la dualidad y al devenir constante del ciclo vida-muerte-vida sigue viva en el pensamiento de algunos mexicanos. Sin embargo, los tejorones juegan otro papel: expulsar a las ánimas que se retrasaron en salir después de que acabó su día. ❂ Otras danzas se escenifican para divertir a los difuntos. Los negros de los pueblos costeros de Oaxaca llaman a sus danzantes diablos, actúan en la calle, sus pasos son vigorosos y dicen versos improvisados, aludiendo a sus compatriotas y a los visitantes. ❂ En Acatlán, Puebla, la danza habitual se llama tecuanes o

ARRIBA: Ruth D. Lechuga. Danza de los diablos, escenificada para divertir a los difuntos. La Estancia Grande, Oaxaca. 1963.

ABAJO: Nacho López. Janitzio, Michoacán. S./f. Reproducción autorizada por el INAH.

intervienen muchos personajes, entre otros el tigre. Suelen danzar la tarde del 2 de noviembre en honor a las ánimas en una plaza afuera del cementerio; sin embargo, cuando en el grupo hay un pariente recientemente fallecido entran al camposanto y ejecutan un número alrededor de su tumba. Lo mismo hacen los diablos de Tanquián, San Luis Potosí, cuando se muere un compañero danzante. ❋ Los viejos de Suchiquiltongo, Oaxaca, y los monos de Romerillo, Chiapas, danzan siempre dentro del cementerio. ❋

Los niños de Tepoztlán, Morelos, se divierten bailando con un esqueleto de carrizo, forrado de papel de china que es casi de su tamaño. ❋ Un espectáculo único son las tumbas vivientes en Iguala, Guerrero. Cuando hay una persona fallecida después del día de Muertos anterior, o como lo llama la población "un muerto fresco", la familia desocupa el cuarto más grande con vista a la calle y allí se improvisa toda una escenografía, con los familiares jóvenes y niños como actores. Generalmente se representa algún cuadro de tema religioso, con la particularidad de que los participantes tienen que permanecer inmóviles en la noche durante largas horas; los habitantes de la ciudad van en romería para admirar la inventiva de cada familia. ❋ Calixta Guiteras relata que en Chenalhó, Chiapas, hay un ayuntamiento especial que gobierna en nombre de los muertos por un día. Se hace una entrega ceremonial del gabán y del bastón de mando, igual como se acostumbra cuando se instala el nuevo ayuntamiento anual. Al día siguiente, las insignias del mando se regresan a los regidores ordinarios. ❋ Otra ceremonia importante tiene lugar en Huistán, Chiapas, donde las mujeres barren la iglesia y la plaza de enfrente. Es una acción ceremonial que tiene sus raíces en el México prehispánico. Fray Diego Durán relata: "El undécimo mes del año llamábase *Ochpaniztli* que quiere decir día de barrer en el cual día celebraban la fiesta de Toci que era la madre de los dioses. [...] La ceremonia primera de aquel día era que todos habían de barrer todas sus pertenencias y todas sus casas. De más de esto se barrían todas las calles del pueblo, la cual costumbre ha quedado en toda la tierra, porque era rito antiguo". Aquí, al igual que en algunas otras ceremonias relatadas, se observa la persistencia de ritos y creencias prehispánicas, a pesar de casi cinco siglos de evangelización. ❋

RUTH D. LECHUGA es investigadora de arte popular y fotógrafa desde hace más de 50 años. Durante este tiempo ha creado un museo de arte popular con su colección de cerca de 10 000 piezas, al que está dedicado el número 42 de *Artes de México*. Ha publicado *Traje indígena de México, Las técnicas textiles en el México antiguo, La indumentaria en el México indígena* y *Mask Arts of Mexico*, entre otros. De reciente aparición en la colección Uso y Estilo, el título *Ruth D. Lechuga, una memoria mexicana* rescata la obra fotográfica de esta autora.

Ruth D. Lechuga. Danza de tecuanes. Acatlán, Puebla. 1986. **ABAJO:** Ceremonia que recuerda al *Ochpaniztli*, Chiapas. 1968.

PÁGINAS 24 Y 25: Fernando Castro Pacheco. *Hanal Pixan* (día de Muertos maya). Acrílico sobre tela. 128 x 180 cm. MACAY.

• ALMAS •
NON GRATAS
EN SAN MATEO DEL MAR

Laurette • Séjourné

ENTRE LOS HUAVES, COMO ENTRE CASI TODOS LOS INDÍGE-
NAS MEXICANOS, EL TIEMPO PROFANO, EL DEL SUDOR Y EL
TRABAJO, SE INTERRUMPE CON EL DÍA DE MUERTOS PARA
DAR PASO A LOS INSTANTES SAGRADOS EN LOS QUE LOS AN-
CESTROS VUELVEN A LA TIERRA. EN ESTE RELATO, ESCRITO EN
LA DÉCADA DE 1950, LA AUTORA NOS SEÑALA UN ELEMENTO
DISTINTIVO DE ESTA CELEBRACIÓN: EL RECHAZAR LAS AL-
MAS DE LOS QUE HAN MUERTO FUERA DEL PUEBLO, QUIZÁ
PARA QUE EL SENTIDO DE COMUNIDAD QUE REINA ENTRE
LOS VIVOS SE EXTIENDA HASTA EL MUNDO DE LOS DIFUNTOS.

n San Mateo del Mar, a los muertos se les teme por encima de todo como causa de las enfermedades. Hasta parece que el mal es parte inherente de los que están bajo tierra, porque éstos no se manifiestan de otro modo que infligiendo desgracias. Pensar en un muerto es una imprudencia que se debe reparar apresuradamente por medio de ofrendas y de rezos, si no se desea caer enfermo. Servirse de un muerto para malear es cosa corriente; encontrarse en una situación difícil representa gran peligro de enfermedad, porque si un pariente desaparecido se da cuenta de la inquietud que uno siente, entonces —"de lástima", así dicen ellos— no dejará de enviarle alguna infección. ❀ Las almas más perniciosas son las de los hombres muertos por accidentes fuera del pueblo, porque, no encontrando lugar de reposo, recorren los caminos con esperanza de introducirse en el cuerpo de un ser viviente. Así, no es raro que, al regreso de un viaje, se caiga gravemente enfermo por haber atrapado una de esas almas perdidas. La posibilidad de que se diagnostique esta enfermedad no deja de inquietar, porque el tratamiento que aplicará el especialista en tal caso consistirá en la administración de latigazos hasta que la cura sea completa. Sin embargo, hay quien se queja de que estas almas errantes suelen ser muy testarudas y muchas veces dejan que el paciente se muera bajo los golpes antes que consentir en abandonar su refugio. ❀ Todo esto deja entrever claramente dos actitudes mentales que caracterizan al habitante de San Mateo del Mar: su veneración humilde y sumisa a la fuerza siempre sobrenatural, y su dependencia respecto del grupo. No sólo sienten singular necesidad de pedir perdón por una enfermedad recibida, sino que además se limitan a rezar y hacer ofrendas sin llevar a cabo ninguna de las operaciones por las cuales los brujos extirpan generalmente las infecciones, y que suponen un sentido activo de rebeldía. Esta mentalidad explica la atmósfera de devoción que reina en este pueblo, porque, si se necesita rezar para curarse, es necesario también hacerlo incesantemente como medida de higiene a fin de que este conjunto indiferenciado en que los hombres, los santos, los muertos y los animales se confunden no pierda jamás su armonía: la razón principal de la desgracia es el desequilibrio de este todo homogéneo. ❀ La cohesión de la comunidad se manifiesta también en el hecho de que no hay brujo que consienta provocar una enfermedad a petición de un cliente, cosa tan usual en otras partes. Sólo un brujo forastero sería capaz de tales operaciones, motivo por el cual se han tomado serias medidas para prohibir la entrada en el pueblo de todo brujo extranjero. En el caso en que uno de estos personajes indeseables persistiera en querer entrar, los innumerables oratorios situados en cada esquina a manera de defensa no tardarían en hacerlo sucumbir. ❀ En ocasión de las fiestas de Todos Santos se hace manifiesto que el anonimato en el cual está sumergido el individuo en San Mateo del Mar, así como su dependencia incondicionada respecto al grupo, se extienden hasta los mismos muertos. La actuación de los seres desaparecidos está estrechamente mezclada a la de los vivos y las invocaciones para hacerlos aparecer cuando el brujo diagnostica un "mal de muerto" son un artículo de primera necesidad, indispensable para toda la familia. A pesar de la intimidad de esas relaciones, no es más que una vez al año cuando las almas pueden circular libremente en el pueblo, oportunidad en que se les reserva una solemne recepción, tal como sucede con casi todos los grupos étnicos de México. Pero, contrariamente a lo que pasa en otras partes, el altar que cada familia levanta en su honor no está aquí dedicado a algún difunto en particular, lo que imprime a las fiestas un carácter completamente impersonal. ❀ Hay algo más que destaca la singularidad de la gente de San Mateo del Mar: su hostilidad hacia todo lo ajeno al grupo es tan consecuente, que llegan incluso a boicotear sin piedad a aquellos de

George O. Jackson, Guadalupe Victoria, Chiapas. 2000. PÁGINA ANTERIOR: Jorge Pablo Aguinaco, Ayutla, Oaxaca, 1990. PÁGINA 27: George O. Jackson, Ihuatzio, Michoacán, 1997.

los suyos que han muerto fuera del pueblo, como si el hecho de haber salido de él los arrojara en la impura condición de extranjeros. ❋ El concepto de que existen almas que han olvidado el camino de su tierra natal se halla muy difundido; era, en cambio, la primera vez que veía yo rechazar esas almas. En los diferentes lugares en que he asistido al día de Muertos, observé siempre la existencia de un pensamiento caritativo hacia las almas errantes: un cirio en el umbral de una puerta o una modesta mesa de ofrendas en el interior de la casa son las limosnas de recuerdo humano que cada familia da a las almas perdidas que pudieran pasar por ahí. ❋ Nada parecido se da en San Mateo del Mar, sino que, al contrario, se vigilan las almas de cerca, a fin de que no puedan mezclarse impunemente con la comunidad de los muertos respetables. La gente asegura que cuando una de esas almas extrañas intenta colarse en la iglesia con la esperanza de compartir las ofrendas que le permitirían incorporarse a las filas de los puros, el portal, indignado, le impide entrar. He oído decir que el sacristán ve a menudo la pesada puerta del templo cerrarse sola en la nariz de una de estas almas fuera de la ley. ❋ Con algunos días de adelanto, la población entera se prepara para recibir a sus muertos. En las casas, las mujeres trabajan duramente para elaborar las bebidas y los alimentos gratos a las almas; en el mercado, se arrebatan las velas a medida que son confeccionadas y se espera con impaciencia la llegada de los vendedores de cempasúchil, y los panes de muerto en forma de ángeles, de conejos o de ciervos. (Conocí estos panes para la comida de los muertos durante mi viaje de ida a San Mateo. Habiéndose volcado la carreta de la simpática pareja zapoteca —con nosotros dentro, se entiende—, nos esforzábamos, con la ayuda de una lámpara que penetraba con dificultad las frías tinieblas que nos rodeaban, en recoger y limpiar los objetos esparcidos en el barro. Estos panecillos de graciosas formas me conmovieron y les dediqué todos mis cuidados

a fin de que pudieran todavía, a pesar de su desgracia, figurar dignamente en una mesa de ofrendas.) ❋ Al mediodía del primero de noviembre, las campanas comienzan a tocar, y las almas, que no esperan más que esta señal, se precipitan sobre la tierra. Regresarán al alba a sus residencias respectivas —las hay que vienen hasta del infierno—, cargadas con las ofrendas de los vivos. Las que vuelven con los brazos vacíos no dejarán de enviar las peores calamidades a los olvidadizos que no las han ayudado con un recuerdo. ❋ Al son de la campana que se hará escuchar sin descanso hasta la mañana siguiente, los aldeanos dan la bienvenida a sus muertos. Se comienzan a cantar las oraciones delante de cada altar familiar; en casa de las autoridades se llevan a cabo ceremonias secretas, reservadas exclusivamente a los hombres; las mujeres van las unas a casa de las otras ofreciendo tantas velas como difuntos recuerdan: hay niñas que se detienen tímidamente en el umbral de una puerta y tienden una vela solitaria, y viejas cargadas con haces de cirios. ❋ Animadas por el paso incesante de estas portadoras de ofrendas, las callejuelas adquieren una belleza impresionante. Es que, con la presencia de las almas, el pueblo aparece de pronto en toda su autenticidad. El atavío y el comportamiento de las mujeres, por ejemplo, son precisamente los de sacerdotisas acostumbradas a la intimidad con lo sobrenatural: la gruesa tela roja que ciñe la cintura y que cae hasta el suelo; la amplia blusa cuadrada, negra o amarilla, bajo la cual el busto está desnudo; la pieza de algodón blanco, grande como una sábana que, de la cabeza, cae severamente sobre los hombros y las espaldas. Silenciosas, erguidas y concentradas, llevando en la mano cirios ornados de cempasúchil, avanzan sin moverse y desaparecen... Las casas no son más que los templos múltiples de una misma área sagrada, y el altar que cada una posee en su interior es el punto más vivo en ellas. Numerosos cirios expanden su luz dorada en la pieza, generalmente oscura,

Lourdes Almeida. Ofrenda en Juchitán, Oaxaca. 1995.

PÁGINA ANTERIOR: Miguel Covarrubias. Ilustración de *Mexico South,* Alfred A. Knopf, Nueva York, 1946.

pues las chozas no tienen otra abertura que la muy estrecha de la puerta, y el techo y las paredes son tan estrechos que no dejan filtrar la menor luz. Las flores, las frutas, la albahaca —planta que desempeña papel predominante en la hechicería—, la cera y el copal que arden llenan de un intenso perfume religioso. La gente se va relevando ante la mesa de las ofrendas para cantar las oraciones con un fervor que no decaerá hasta la mañana siguiente. ✳ La noche, ayudada por la luna llena, pondrá más en relieve todavía el sentido profundo de las cosas, y el pueblo entero aparecerá como encerrado en un sortilegio: las masas sombrías de las chozas que avanzan sobre las callejuelas como mejor les parece, según un orden totalmente extraño a la línea recta; el suelo, caliente y movedizo, que se desplaza obstinadamente bajo los pies; los grupos de hombres, que flotando entre los vapores del alcohol ritual pasan como sonámbulos; las plegarias que se elevan por encima de cada habitación como espesas columnas de humo... ✳ La choza que me abriga no escapa evidentemente a la suerte de las otras, y me será imposible dormir a la luz de los cirios, entre los perfumes que atacan la garganta, el clamor de los rezos y las continuas idas y venidas. La luna está todavía alta cuando las mujeres se aprestan a ir al cementerio vestidas con sus más bellos atavíos. Mi deber de investigadora me obliga a seguirlas, pero me parece que cometería una indiscreción sacrílega asistiendo a sus adioses con los muertos y siento verdadero alivio cuando me prohíben hacerlo. En la puerta, el dueño de casa conversa con varios amigos, todos en completa ebriedad. No atreviéndome a enfrentarlos, me quedo largo rato bloqueada en un rincón de la pieza escuchando sus parloteos, en que mezclan a veces palabras en español. Y es entonces cuando, de la manera más imprevista, se eleva un canto cuya perturbadora extrañeza sobrepasa todo lo demás: son algunas notas de *La internacional*. ✳ De repente, la plaza, vacía desde hace dos días —los vendedores ambulantes la han abandonado sabiendo que durante estas fiestas no se pesca—, vibra de color y movimiento. Las mujeres que vuelven del cementerio cruzan, sin parecer verlos, con los grupos de hombres titubeantes que salen de la iglesia, donde, desde la víspera, montan la guardia turnándose alrededor de la mesa de las ofrendas. ✳ Un poco más tarde, la plaza tomará el aspecto de un campo después de la batalla: cuerpos tendidos por todas partes; hombres que avanzan penosamente bajo el duro sol se detienen para recobrar el equilibrio, dan algunos pasos inciertos antes de derrumbarse. De vez en cuando aparece la silueta hierática de una mujer: se inclina con veneración sobre uno de estos cuerpos tendidos y lo lleva como un precioso botín. Toda la población masculina, sin excepción, está completamente ebria, porque ningún hombre podría, sin pecar gravemente, dejar de brindar con las almas de visita. ✳ Asistí a un diálogo revelador a este respecto: cuando el joven maestro de escuela, sufriendo él mismo los efectos de una borrachera atroz, preguntaba a un venerable anciano por qué no había hecho no sé qué cosa, este último, sorprendido de que le pudiera hacer tal pregunta, contestó: "Pero, cómo... no podía... estaba bebiendo". Es necesario agregar que esta borrachera colectiva y sagrada es de lo más pacífico: durante las 24 horas que los hombres bebieron, no se registró incidente alguno. La única novedad, aparte del aspecto chusco de la plaza y de las calles, era que esta gente, de ordinario tan taciturna y cerrada, se volviera locuaz y llegara hasta a manifestar cierta ternura. ✳

LAURETTE SÉJOURNÉ. Arqueóloga francesa que participó en las exploraciones de Monte Albán y Palenque. En 1955, en Teotihuacán, descubrió tres estructuras arquitectónicas completas. Es autora, entre otros libros, de *Palenque, una ciudad maya, Un palacio en la ciudad de los dioses, La cerámica de Teotihuacán, El pensamiento náhuatl cifrado* y *Supervivencias de un mundo mágico* (Fondo de Cultura Económica, 1996), de donde fue extraído este fragmento.

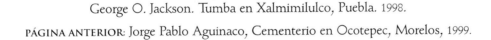

George O. Jackson. Tumba en Xalmimilulco, Puebla. 1998.
PÁGINA ANTERIOR: Jorge Pablo Aguinaco, Cementerio en Ocotepec, Morelos, 1999.

CHILAC
SAN GABRIEL

Gutierre Tibón

EL día dos de noviembre el aire de todo México está impregnado de pensamientos de afecto y gratitud hacia los seres queridos que nos han precedido en el sueño eterno; el anhelo de todos es probarles que no les olvidamos y que siguen viviendo en nuestro recuerdo. En mil y mil panteones del país los fieles difuntos reciben la visita de sus familiares; la flor emblemática de los muertos, el cempasúchil, decora innumerables tumbas. Hay, sin embargo, lugares donde se celebra el día de Muertos con más devoción, con más solemnidad. Yo estuve en un panteón que considero único en México, y tal vez en el mundo. Tengo todavía grabada en la retina una visión casi irreal de color, belleza y ternura humana. He pasado el dos de noviembre en Chilac, un pueblo que está a unos veinte kilómetros de Tehuacán, casi en los linderos con Oaxaca. Su población se dedica con éxito al cultivo del ajo. Todos son bilingües: hablan con igual soltura el náhuatl y el español. Todos saben leer y escribir, y la mayoría hasta lee música.

¿En qué consiste el carácter único del cementerio de Chilac? Cada tumba tiene, construida encima, una cabaña de hojas de plátano color esmeralda, o de pequeños carrizos verdes, o de tela negra o morada; en la sombra están las ofrendas: tenates con pan de muerto, ollas con mole, plátanos, naranjas, flores, todas fresquísimas, en increíble abundancia, y arregladas con garbo. Campean los cempasúchiles, que contrastan, por su amarillo anaranjado, con el rojo sangre de una flor aterciopelada que llaman moco de pavo; también se destaca el blanco virginal de las azucenas, el morado de las gladiolas y las cubiertas de los convólvulos azules que llamamos manto de la Virgen. Pareciera que estas últimas hubieran esperado esa mañana para florecer. Entre las ofrendas y las flores se agitan suavemente las llamas de las ceras, tantas como los difuntos que se conmemoran. Delante de las cabañas están sentadas o arrodilladas las familias, desde el abuelo hasta los niños, y todos rezan. Distribuidos entre las tumbas están los armonios, muchos armonios (he contado dieciséis). Los tocan los propios campesinos; leen la música como expertos organistas, en tanto que mueven los pedales del instrumento con sus pies calzados de huaraches, o descalzos. Toda la familia canta, acompañada por el armonio; voces blancas, voces bajas, siempre afinadas. Cantan y rezan en un perfecto español o en latín bien pronunciado, aunque entre sí hablan el melodioso idioma del México antiguo, el náhuatl. De vez en cuando pasa una mujer con inmensos ramos de flores, para adornar aún más las tumbas.

El cielo es de un azul intenso; flota en el aire el perfume entremezclado de los cempasúchiles y del copal que humea en los pebeteros. Del mar de cabañas verdes, negras y moradas, llega la armonía del canto y de la música, como si se tratara de voces angelicales. En todas partes, flores: una apoteosis de flores. La atmósfera, en el panteón de Chilac, no es de alegría, ni de tristeza, sino de paz, de sosiego. Regresé a México con el corazón sereno, como si hubiera saboreado un anticipo de la bienaventuranza eterna.

❋ Tomado de *Aventuras en México 1937-1983,* Diana, 1983.

Agustín Estrada. Tumba y ofrenda en San Gabriel Chilac, Puebla. 1999.
DERECHA: Jorge Vértiz. San Gabriel Chilac, Puebla. 2001.
PÁGINA ANTERIOR: Agustín Estrada. San Gabriel Chilac, Puebla. 1999.

◆ ESPLÉNDIDA ◆ RECEPCIÓN EN TEOTITLÁN DEL VALLE

Mary ◆ Jane ◆ Gagnier ◆ de ◆ Mendoza

EN EL PUEBLO OAXAQUEÑO DE TEOTITLÁN DEL VALLE, DURANTE LA CELEBRACIÓN DEL DÍA DE MUERTOS LOS HABITANTES RECORREN LAS CASAS PARA SALUDAR A QUIENES CONFORMAN LA COMUNIDAD. PERO ESTAS RONDAS SON TAMBIÉN OBLIGACIÓN DE LOS MUERTOS, QUIENES SE LLEVAN DE CADA ALTAR LA ESENCIA DE SUS OFRENDAS.

PÁGINA 37: Paul Czitrom. Tetelcingo, Puebla. 1999. PÁGINAS 38 A 43: Ariel Mendoza. Teotitlán del Valle, Oaxaca. 2000.

los habitantes de Teotitlán del Valle, Oaxaca, se les reconoce por ser anfitriones excepcionales, por lo que las almas que los visitan el día de Muertos reciben un trato verdaderamente generoso. La preparación para darles la bienvenida dura días; pero a partir del 31 de octubre, la gente del pueblo ya se afana en atender a los espíritus. Los primeros que regresan son los angelitos, que son las almas de los niños muertos. Ellos llegan en las primeras horas del primero de noviembre, día de Todos Santos, porque ángeles y santos tienen mucho en común, entre otras cosas, que habitan en el mismo lugar celestial. Los espíritus de los niños se retiran justo cuando los adultos que residen en el más allá comienzan a llegar, a las tres de la tarde del mismo día. Oficialmente, los muertos se retiran a las tres de la tarde del dos, pero si esta fecha cae en domingo, día de descanso, reservado por la liturgia al Señor, los espíritus simplemente esperan y regresan a su morada el tercer día del mes. En Teotitlán, un pueblo de hábiles tejedores, ubicado a 30 kilómetros de la capital del estado, las actividades artesanales se detienen durante estas fiestas, pues como advierte la tradición: "¡nadie debe trabajar mientras los espíritus estén de visita!" ❋

COMPAÑÍA CONSTANTE Y PALABRAS CARIÑOSAS

Es el mediodía de un primero de noviembre. Ya han pasado varios años desde que la tía Antonia Ruiz perdiera un hijo. Esta mujer, vigorosa y compacta, habla por experiencia propia: ha enterrado a cinco de sus once hijos. Pasamos junto al cuarto, recién renovado, en donde se encuentra la ofrenda, cruzamos el pasillo y llegamos al dormitorio de sus hijas. Al principio me sorprende que nos alejemos de la sala; pero, al entrar en la fresca penumbra, se dibuja la forma de un pequeño altar. Ella me explica que ésta era la sala original, que formaba parte del hogar construido por los padres de su marido hace 40 años. Este lugar albergó el altar de la casa hasta que ella y su esposo, Félix, construyeron otra sala, en 1980. Nos cuenta que mantiene este pequeño altar porque fue aquí donde velaron a sus hijos cuando murieron. Éste es el lugar que ellos conocen. Aquí es adonde regresan. ❋ —Aquí atendemos a los espíritus— explica Antonia, mientras su hija Reina baja del altar la ofrenda que se deja a los espíritus de los niños: cacahuates y nueces, panecillos de huevo, tacitas de barro llenas de chocolate y pequeñas tabletas de cacao, las mismas que se usan para preparar esta bebida. ❋ —Mientras los angelitos están aquí, oímos ruidos, escuchamos cómo tintinea la cerámica —cuenta Reina—, el mismo ruido que se hace cuando uno bebe un trago de chocolate y luego pone de nuevo la taza en el plato. ❋ Esa misma tarde, en otro hogar de Teotitlán del Valle, mi suegra, doña Clara Ruiz, atiende a cuatro visitantes en su sala, cuando llega otra pareja. En un día como éste, con tantos ires y venires, doña Clara ha dejado abierta la puerta de la casa. Su cuñada Leonora y su esposo, Renaldo, entran discretamente, mientras los otros visitantes guardan un respetuoso silencio. La pareja se dirige directamente al altar. Saca de una canasta su ofrenda de pan, fruta, semillas y un cirio de casi un metro de altura. ❋ La vela de Leonora, ahora encendida, se suma a otras seis puestas sobre el suelo cerca del altar, que iluminan una fotografía de Emiliano Mendoza, el fallecido esposo de Clara. De acuerdo con la costumbre, la pareja se arrodilla respetuosamente. Sólo después de haber saludado de manera adecuada a los difuntos, los huéspedes dirigen su atención a los vivos, primero a Clara, luego a sus hijos adultos y por último a los otros invitados. Finalmente, los visitantes toman asiento en un extremo de la mesa, y la fluida conversación continúa. La plática se centra en los difuntos. A veces la memoria arranca risas o lágrimas. ❋ Los espíritus desean tener compañía durante toda su visita de un día. Y aunque cada morada tiene espíritus propios que atender, en una comunidad de lazos tan estrechos, la mayoría de la gente pasa gran parte de la fiesta presentando sus respetos a los espíritus familiares de otros hogares. ❋ Horas después Clara Mendoza pi-

de a su hija adulta que vigile el altar y que atienda a quienes lleguen, mientras ella visita las casas de varios parientes. En la resistente canasta que lleva bajo el rebozo trae una botella con mezcal, media docena de panes de huevo y varias tablillas de chocolate. Regresará a su casa más de una vez durante las obligadas rondas, para volver a llenar la canasta. ❀ Su primera parada es en casa de su fallecida suegra. La puerta está abierta, así que entra y se desliza silenciosamente dentro de la sala. Sin prestar atención a quienes ocupan la mesa, se dirige hacia el altar. Besa las orillas de éste y se hinca a rezar. ❀ Le pregunté a Clara qué es lo que rezaba en ese momento. —Que los espíritus de los fallecidos estén en paz —me contestó. ❀ Al levantarse, saluda a su cuñado Andrés Mendoza, quien, de acuerdo con la costumbre zapoteca, por ser el hijo menor, todavía vive en casa de su madre. Rosa, la esposa de Andrés, sale de la cocina y, junto con su marido, recibe la canasta de las manos de doña Clara, y se dirige automáticamente hacia el altar para distribuir la ofrenda. Todos han sido partícipes, en incontables ocasiones, de esta misma escena, porque hay en esta comunidad un profundo compromiso por llevar a buen fin las obligaciones de cada quien.

❀ Tía Antonia y su esposo, Félix Mendoza, a quienes habíamos visitado al iniciar el día, nos ofrecen su versión de los quehaceres de los espíritus durante la fiesta: —A veces vienen a ver a sus amigos o a un compadre. Además, visitan otras casas, no solamente aquellas en las que vivieron y murieron, también van a las de sus hijos, a

las de sus padrinos y a las de sus parientes favoritos. ❀ Así, mientras los vivos hacen sus rondas, ofreciendo sus respetos a los espíritus de las personas que amaron, los muertos también recorren el pueblo, pues tienen una invitación abierta para disfrutar los aromas que se elevan desde otros altares. ❀ Incluso las parejas jóvenes que viven en casas nuevas, en las que nadie ha muerto todavía, preparan ofrendas, en parte para los espíritus desconocidos que regresan a su lugar, o por si acaso el alma de algún miembro de la familia o padrino quiere visitarlos. Si por alguna razón se vieran obligados a salir de sus casas en esta fiesta, una situación por demás indeseable, podrían remediar su afrenta dejando abierta la puerta de la habitación donde se ha puesto el altar. Con este gesto invitan simbólicamente a los espíritus a visitarlos. ❀ Si hay algo peor que atender mal a los espíritus, es no atenderlos. Los teotitecos tienen mucho que contar acerca de este asunto. Antonia recuerda que cuando era apenas una muchachita, su familia se mudó a un solar en medio del pueblo. ❀ —Mucha gente había vivido y muerto en este pedazo de tierra mucho antes de que viniéramos, pero luego fue abandonada por años. Cuando llegó nuestro primer día de Muertos, en la madrugada del dos de noviembre, mi madre escuchó los gemidos que venían del patio grande. ❀ A las cuatro de la mañana, Victoria Gónzalez Martínez salió al patio en medio de la oscuridad para tranquilizar a esas almas tristes. Les habló y les aseguró que serían bienvenidas. ❀ —No lloren más, las vamos a

atender. Aunque no tenemos mucho que ofrecerles, por favor vengan —les dijo. ✸ Casi medio siglo ha transcurrido, y las almas desconocidas están satisfechas; ni un solo gemido misterioso se ha vuelto a escuchar. ✸

LA OFRENDA

Todos los elementos del altar familiar aseguran al espíritu que ha llegado al hogar que le corresponde. Por eso, cuando hay posibilidad de usar fotografías, éstas son elementos centrales en los arreglos. Un simple vaso de agua es, quizá, la ofrenda indispensable en cualquiera de ellos. Así como el viaje del espíritu al otro mundo ha sido arduo, su regreso al hogar también lo es: necesitan agua para apagar su sed. ✸ Las velas tienen un importante papel simbólico. Alejandrina Ríos, la nuera de la tía Antonia, cree que éstas iluminan el camino de regreso de los espíritus: —Si no las colocas en la ofrenda, los muertos se verán obligados a encender sus deditos para ver mejor las rocas y las espinas que bordean el camino de regreso. ✸ ¿Será por esto que se encienden algunas sobre la tumba, justo después del entierro, y otras más el día de Muertos, en los momentos de viaje hacia y desde el otro mundo? ✸ A las tres de la tarde del primero de noviembre, mientras suenan las campanas de la iglesia que anuncian la llegada de los espíritus, los vivos dan los toques finales a los altares. Estos días hay muchas cosas que hacer. Las tres hijas de Antonia están ocupadas en la cocina. Reina sirve chocolate caliente, batido hasta formar una espesa espuma, en una taza que acomoda en medio de tres panes de muerto. Elia coloca, hábilmente, montones de tamales humeantes sobre un platón, mientras Altagracia pone cucharones del omnipresente mole negro sobre una pierna de guajolote. Todo esto se lleva a cabo con la dirección de Antonia, quien ha acomodado estratégicamen-

te, minutos antes de la llegada de los muertitos, el chocolate, los tamales y el mole sobre el altar. ✸ —No es que las cosas hayan sido siempre así— enfatiza Félix Mendoza, que preside la situación, con la mirada fija en la puerta, de espaldas a la pared y sentado cómodamente en la cabecera de la mesa —que él mismo fabricó— y, de acuerdo con la costumbre, ocupando el lugar más cercano al altar. Delgado, guapo, de bigote cuidado y pelo abundante, este hombre, de 76 años, ha vivido más cambios en los últimos 50 años que la mayoría de sus ancestros zapotecos, después de la llegada de los españoles. Félix recuerda: —Antes yo podía trabajar noche y día para terminar de tejer un sarape antes del día de Muertos. Me lo llevaba a vender al mercado de Tlacolula, pero hubo ocasiones en que, después de estar todo el día bajo el rayo del sol, me regresaba a la casa sin haberlo vendido. ¡Ahí sí que nos desesperábamos! Si no lo colocaba, pues no teníamos nada que ofrecer a los difuntos: ¡ni mole, ni guajolote, ni siquiera chocolate! Ya lo único que me quedaba por hacer era venderlo a los mayoristas del pueblo, que en aquellos días me pagaban lo que ellos querían, a veces menos de la mitad de lo que valía el tejido, porque sabían que yo no tenía otra opción. ✸ Arnulfo Mendoza Ruiz, mi esposo e hijo del difunto Emiliano, cuenta que a principios de la década de 1950, antes del primer día de Muertos que celebraron sus padres como matrimonio, Emiliano no pudo vender su único tapete para cubrir los gastos de la fiesta. Pero como era importante poner una ofrenda para los difuntos, subió al monte con su burro a recortar esa florecita tan aromática que sólo se encuentra en la sierra aledaña a Teotitlán. Con la bestia cargada, la pareja recorrió los pueblos vecinos cambiando la recién cortada mercancía por pan, maíz y frijoles, regalos aceptables en aquellos

tiempos difíciles. ❋ Actualmente, el gran altar de Clara Ruiz, con su desbordante abundancia, es una verdadera hazaña de equilibrio casi circense, en la que se colocan platos de tamales, naranjas y manzanas. Sobre la orilla ha sido levantada una especie de pared, de aproximadamente 80 centímetros de alto, construida con panes de muerto y que parece un muro hecho de piedra sin argamasa. Es tan alta, que casi no puede verse la colección de santitos que cotidianamente presiden el altar de la familia Mendoza. Ocultas en sus nichos de madera, adornadas con flores de papel crepé, estas figuras son apenas visibles tras las montañas de pan dorado. ❋ Clara tiene más de 60 años, pero su edad no

perfume del copal y de las pequeñas flores silvestres sean elementos esenciales en cualquier altar de Teotitlán. Los intensos olores sacian a los muertos, mientras los vivos se complacen comiendo platos de rico mole con guajolote y tamales calientes de amarillo. Los habitantes del pueblo comentan a menudo, que, cuando pusieron el pan en la ofrenda, éste era mucho más pesado que cuando lo retiraron, o que al llevarse la comida de ahí descubrieron que ya no poseía ningún sabor. Don Marino Vázquez, uno de los señores más respetados del pueblo, explica: —Esto sucede porque los difuntos se alimentan con el espíritu de la comida, y se llevan su esencia; por eso, no la consumimos después. ❋ —¡No sólo

es obstáculo para que se deslice hábilmente desde el cuarto del altar, al patio y del patio a la cocina, concentrada en la atención a sus huéspedes. Llega como una aparición, cargando tazones de atole hirviente, chocolate y tamales en su punto. Después de la una de la tarde se dejan de servir tanto el atole como el chocolate, bebidas que se asocian con el desayuno, para ofrecer, en su lugar, mole de castilla, el guiso favorito de su difunto marido. ❋ El aroma es a los espíritus lo que el gusto es para los vivos, de ahí que el embriagante ofrecemos comida a los angelitos; les compramos regalos también! —agrega Antonia. ❋ Hay juguetes hechos especialmente para colocar en su ofrenda: borreguitos, guajolotes y ángeles de azúcar, decorados con betún de colores. Algunas familias ponen en sus altares, además, objetos miniatura: metates y prensas para hacer tortillas para las hijas, y martillos y azadones para los hijos. ❋ —Cada año compramos tenates, molcajetes y jarritos nuevos. Claro que los usamos después, pero ellos se llevan los regalos, simbólicamente.

Lo sabemos —explica— porque hay mujeres que han ido al río a lavar la ropa antes de que termine la fiesta, y ellas pueden atestiguar, a pesar del susto, que han visto a los muertitos irse del pueblo con sus burros, o llevando canastas bajo el brazo y costales al hombro cargados de ofrendas. ❋ Dice don Marino que si a los espíritus les gusta el mezcalito, entonces hay que hacer un brindis. El juez, el escanciador oficial del mezcal, primero sirve uno y lo salpica, en forma de cruz, sobre la ofrenda hecha en la base del altar. Una vez servido el mezcalito a los muertos, reparte varias copas, según la jerarquía, entre los visitantes que están sentados alrededor de la mesa. ❋

EL REGRESO

Muchos habitantes del pueblo insisten en acompañar a sus difuntos hasta las puertas del camposanto. Otros, como Félix Mendoza y Antonia Ruiz, nunca van al cementerio el dos de noviembre. Félix tiene una justificación: —Sería como correr a alguien de la casa. Algunos espíritus se van despacio y otros se emborrachan, así que la fiesta sigue hasta el tres de noviembre. ❋ El ruido ensordecedor de los cohetes que truenan desde el atrio de la iglesia y en las casas a las tres de la tarde es una señal para que los asistentes a la fiesta, vivos y muertos, sepan que ya es hora de que los difuntos comiencen los preparativos para el viaje de regreso. ❋ Una visita al cementerio en la tarde del dos de noviembre ofrece un espectáculo inolvidable: pareciera que las tumbas danzan bajo el aluvión de flores, entre las que destacan enormes manojos de cresta de gallo color escarlata, brillantes flores de cempasúchil punteadas por delicados alcatraces. Muchas familias acuden al cementerio cargadas con frutas, botellas de mezcal y cartones de cerveza. Éste es el momento de limpiar las tumbas, algunas de ellas incluso con agua y jabón. Se encienden las velas, y se hacen largos brindis en honor de aquellos que se ama y que se vuelven a marchar. ❋ En estas fechas, los rayos luminosos de la tarde tibia hacen aún más intensos los colores de las flores. Mientras uno se acerca a la pequeña capilla del cementerio, los melancólicos cantos de los alabanceros, miembros de la muy respetada clerecía secular de Teotitlán, invitan a todos los presentes a disfrutar la dulce tristeza del momento. ❋ La banda toca trenos emotivos y lentas marchas, las mismas tristes tonadas que acompañan a las procesiones funerarias, a las que todos los habitantes del pueblo han asistido en innumerables ocasiones, escoltando a los padres, a los hijos, a los padrinos o a los compadres en su último rito, el más importante, el viaje hacia el otro lado, que todos haremos algún día. ❋ Así como los domingos se dedican generalmente al Señor, los lunes del mes de noviembre corresponden a los muertos. Durante este mes, el padre Rómulo, encargado de las necesidades espirituales de la gente de Teotitlán y de los pueblos vecinos, celebra los responsos, cada semana en el cementerio de un pueblo diferente. ❋ En el lunes que corresponde a Teotitlán, incluso aquellos que se quedaron en sus casas con las almas que aún languidecen, van de visita al cementerio y entregan al padre una pequeña dádiva para que rece plegarias individuales en las tumbas de sus familiares desaparecidos. La exuberancia de las flores frescas y las plegarias, llenas de emoción, cantadas por los alabanceros, elevarán entonces nuestros sentidos hasta un estado de conciencia más profundo, en el que pareciera que se vive, por un instante, suspendido en algún lugar entre la tierra y el cielo. *Traducción de Verónica Murguía* ❋

MARY JANE GAGNIER estudió música y artes visuales en el Vancouver Community College. Es cofundadora y directora de la galería La Mano Mágica, ubicada en la ciudad de Oaxaca. Dirigió también la curaduría de la exposición *Myth and Magic: Oaxaca Past and Present*, que se presentó en el Palo Alto Arts Center, en el Santa Cruz Museum of Art y en el Mexico Fine Arts Center Museum en Chicago. Actualmente prepara un libro sobre las fiestas de Teotitlán del Valle.

VENGANZA
PÓSTUMA

Fernando Benítez. *(Informante: Manuel Zugaide).*

TODOS

Santos es el más grande día para nosotros los indios. Los muertos chicos vienen al medio día del 31 y se van a las doce del día primero. A esa misma hora entran los muertos grandes y se retiran a la media noche del dos de noviembre.

Los llaman con campanas. Las campanas doblan veinticuatro horas sin parar, desde las doce del día último a las doce del día primero, y los campaneros se cambian por turnos constantemente. Para los muertos chicos se dobla en tono menor, y en tono mayor para los grandes.

Llegan los muertos y huelen el pan, los tamales, la fruta de las ofrendas, y se llevan la sustancia. Allí estaremos nosotros comiendo con ellos. No necesitan más. La sustancia les basta para vivir un año entero.

Los rezadores van de casa en casa rezando. Se les paga cincuenta centavos o un peso por mencionar el nombre de los diferentes familiares, y ellos y sus ayudantes participan en la comida de la ofrenda.

En Cihualtepec también se les llama con campanas, pero ya no es lo mismo. Digamos un ejemplo: yo dejé enterrada a mi jefa en La Joya y con gusto hacemos aquí el Todos Santos. No sabemos si los muertos pueden venir, si saben llegar hasta un lugar desconocido a pesar de que los llamen con rezos y campanas. Unos van todavía al viejo Ixcatlán o al Viejo Soyaltepec. Nosotros tenemos a los pasados enterrados en el ejido, y además la gente está muy pobre y no sabe andar fuera de sus lugares.

Son los viejos y no los jóvenes los que todavía hablan con sus muertos en los cementerios. Les dicen: "Ruégale a Dios para que llegues pronto a la gloria". Otros dicen: "Yo aquí sufro sabiendo que me voy a morir en cualquier chico rato. Todos seguiremos el mismo camino". Sólo hablan con ellos. No es que los vean; les hablan desde arriba y dicen que los muertos los oyen.

Los brujos visitan los cementerios con el fin de que los difuntos le llamen al fulano a quien piensan dañar.

Entonces el fulano sueña un sueño pesado: que le tiran una puñalada, o que se cae en un barranco, o que se le incendia su casa, y si después de tener ese sueño le monta a una mujer, ya estuvo que se enferma o puede morir cuando no lo asiste un buen curandero. El curandero debe defenderlo contra el brujo y le habla a Dios, para pedirle su curación: "Señor Jesucristo, no puede ser que un malo le corte así nomás la vida a un ser humano".

Y ya que hablamos de Todos Santos te voy a contar un cuento. Dice que a un señor se le murió su esposa y se volvió a casar. Pocos días antes de la fiesta, como estaba jodido y debía salir a trabajar fuera, le dijo a su nueva mujer:

—Mira, por favor, todo lo que le pongas a tus muertos en el altar se lo pones también a mi finada esposa. ¿Harás lo que te pido?

—Sí —contestó la mujer—, vete tranquilo. Yo haré lo que me pides.

Cuando se llevan los platos y las frutas al altar es costumbre decir:

—Esas naranjas son para ti, Juana —suponiendo que se llamara Juana la señora muerta—, o esta gallina, o este café. ¿Has entendido?

—Sí, Pafnucio, creo que he entendido.

Bueno, pues la mujer calentó chica piedrota y cuando estaba roja la llevó al altar diciendo:

—Juana, aquí te pongo esta piedra para que te la comas.

El marido regresó esa misma noche y en el camino encontró a la difunta llorando y quejándose mucho.

—Ay, ay —gritaba la pobrecita— me he quemado la boca.

Cuando el hombre entró a su casa, le preguntó a su mujer:

—¿Qué le pusiste en el altar a la finada mi esposa?

—Comida y fruta, como tú lo ordenaste.

Él entonces se acercó y vio el altar quemado. Comprendió que su mujer lo había engañado. Como era un hombre pacífico, nada más le dio sus buenos cuarterazos.

❀ Tomado de *Los indios de México*, Era, 1977.

PÁGINA ANTERIOR: Lourdes Almeida. Familia mazateca junto a su altar en Huautla, Oaxaca. 1995.

PÁGINAS 46 Y 47: Elena Climent. *Altar de muertos con parientes*. 1991. Óleo sobre tela. 106 x 124 cm. Cortesía Mary Anne Martin Fine Art.

·LA OFRENDA

UN DERROCHE CREATIVO

Marta • Turok

LA TRADICIÓN RITUAL DEL DÍA DE MUERTOS CASI NO SE HA MODIFICADO EN LAS COMUNIDADES INDÍGENAS, PERO EN LAS GRANDES URBES HA SUFRIDO UNA METAMORFOSIS, EN LA QUE LOS OBJETOS SAGRADOS SE TRANSFORMAN EN MOTIVOS DE ORNATO O EN BANDERAS DE LA NACIONALIDAD. ¿QUÉ PIEZAS FORMAN AÚN PARTE DEL DIÁLOGO QUE LOS HOMBRES ESTABLECEN CON LOS DIOSES, Y CUÁLES INTEGRAN EL UNIVERSO DECORATIVO?

l olor y el color son inconfundibles, fuertes y penetrantes; llegan por ahí de octubre cuando la cosecha está a punto. Arriba a los mercados y tianguis la flor de cempasúchil como señal de que se acerca esa particular fecha en que recordaremos a los que han partido. Empiezan a montarse los puestos en los que se venden objetos destinados a la celebración del día de Muertos: las rajitas de ocote con el copal, los incensarios y candelabros de barro, el papel picado... ❋ En la conciencia colectiva —sobre todo urbana— aparece la figura, que con el tiempo ha logrado imponerse, de un mexicano que juega con la muerte, se burla de ella, la trata con irreverencia. Y esta imagen se yuxtapone con la de las comunidades indígenas, guardianas de la ritualidad, que viven esta ceremonia con sigilo y reverencia. ❋ Las festividades que estos grupos consagran al día de Muertos se celebran en familia; son íntimas, aunque poseen una dimensión colectiva, comunitaria. Como en todo ritual, se componen de varios actos: la recepción y despedida de las ánimas, la preparación y colocación de las ofrendas en el altar familiar, el arreglo de las tumbas, la velación en el camposanto y la celebración de oficios religiosos dentro de la liturgia católica. En esta ceremonia los parientes muertos regresan, en su estado de ánimas. Como vienen de un mundo parecido al de los vivos, se les recibe con una breve convivencia y se les despedirá con música, comida y recuerdos. No hay olor a muerto ni hay temor. ❋ En muchos lugares, las ánimas de los muertos serán guiadas por el aroma de pétalos de flores —preferentemente de cempasúchil— que trazan una vereda desde la calle hasta el altar. ❋ El repi-

que de campanas, los rezos, la quema de copal y el encendido de velas anuncian su llegada, en tanto que el tronar de los cohetes o un nuevo repiquetear de campanas los despide. Aunque hay lugares, como la huasteca hidalguense, en que las festividades del día de Muertos tienen repercusiones hasta el Carnaval, cuando algunas ánimas que quedaron sueltas son capturadas con mecates (el *micahuitl*) para que regresen al más allá. ❋ La ceremonia se prepara con antelación: se limpia el panteón, generalmente con tequio y faenas comunales. Las familias se encargan del arreglo de los sepulcros particulares, aunque nunca falta el atavío de la tumba de algún muerto anónimo, o de algún otro que ha perdido a sus familiares, quienes son recordados porque en algún lado del mundo se les echa de menos. ❋ Después del arreglo de la tumba viene la velación, el acompañar todo el día o toda la noche a los muertos, a veces compartiendo los alimentos, y con frecuencia llevándoles serenatas, o ejecutando danzas rituales con máscaras, de modo que la devoción ante el altar familiar se replica en el camposanto. ❋ Ubicada junto al altar tradicional a los santos o en la estancia principal de la casa, la ofrenda muestra variaciones regionales, y a la vez comparte ciertos elementos formales. Una mesa o una repisa cubierta por un mantel, preferentemente blanco con bordados —que en la actualidad ha sido sustituido en ocasiones por uno de plástico estampado—, son la base de cualquier altar en la República Mexicana. Para delimitar el espacio sagrado que será destinado a la ofrenda, se amarran a las patas de la mesa uno o varios arcos de caña, otate o carrizo, que son adornados con palmas, cucharilla, flores de cempasúchil, hojas de plátano e incluso frutas frescas, chiles secos

Jorge Vértiz. Huaquechula, Puebla. 1999.
PÁGINA ANTERIOR: Jorge Vértiz. San Gabriel Chilac, Puebla. 2001.
PÁGINA 49: George O. Jackson. Tumba en Guadalupe Victoria, Chiapas, 2000.

y panes. Los altares más espectaculares se construyen a modo de catafalco con cajas o repisas cubiertas para ganar altura. En este tipo de trabajos destacan los pueblos nahuas de la ciudad de México y la huasteca, los purépechas de Michoacán y los zapotecos del valle de Oaxaca. * Delante o detrás de la mesa en ocasiones se cuelgan flores de papel, papeles picados o recortados, que acompañan a las fotografías de los parientes que han partido, generalmente colocadas entre varios floreros. Delante de la mesa, sobre un petate nuevo, pueden ponerse uno o más incensarios. También la ofrenda puede integrar alguna vestimenta u objeto emblemático del difunto, como un machete, un sombrero, una faja, juguetes para los niños, etcétera. * Entre el 30 de octubre y el primero de noviembre se habrán cocinado ya los platillos tradicionales que serán ofrendados a los muertos. Se acostumbra que todos los trastes de barro en los que sean ofrendados los alimentos sean nuevos, y que después pasen a conformar la vajilla cotidiana. *

LOS OBJETOS RITUALES

En tanto sean producidos y utilizados *ex profeso* para la festividad, los objetos asociados con el culto a los muertos son considerados artesanía ritual. Muchos de ellos integran la ofrenda, cuya naturaleza efímera testifica el derroche creativo al que obliga la transformación anual. El sincretismo de esta fiesta es palpable sobre todo en las piezas que integran una ofrenda, aunque también puede apreciarse en tradiciones que fueron parte de los ritos europeos del siglo XVI, y que encontraron eco en las costumbres prehispánicas, como el ofrendar regalos a los muertos, el visitar los panteones para compartir con los difuntos su efímero regreso y el trato especial a los niños fallecidos. * En cuanto a los objetos, resulta interesante, por ejemplo, que en el Códice Magliabecchiano aparezca una página que muestra enramadas de papel con diseños probablemente pintados con *ulli* o hule, antecedente directo de las enramadas de papel picado que se utilizan actualmente y cuya influencia es una combinación de elementos prehispánicos,

chinos y franceses. En la actualidad, la manufactura de papel picado se ha desarrollado como tradición en San Salvador Huixcolotla, Puebla, así como en Uruapan, Michoacán, y Tláhuac, en el Distrito Federal, aunque en muchas otras localidades se produce de manera menos comercial. * En Metepec, Estado de México, y Santa Fe de la Laguna, Michoacán, los candelabros e incensarios son elaborados con un barniz o greda color negro. En Ocotlán, Oaxaca, se realizan de barro cocido y las figuras que los adornan son pintadas con tierras y pigmentos color blanco y azul cobalto. Los incensarios llevan una corona de figuras antropomorfas con los brazos en alto y enlazados, y a los candelabros se les aplica, en pastillaje, una calavera adosada al tubo y base, lo que nos recuerda una pieza prehispánica: la vasija trípode, de uso ceremonial, estilo mixteco, encontrada en Zaachila, Oaxaca. Ésta, hecha de barro anaranjado, tiene adosada a un costado una figura atribuida al dios Mictlantecuhtli en forma de esqueleto, cuya cabeza puede girar sobre el cuello, y cuya expresión oscila entre lo macabro y lo juguetón. En el vecino pueblo de Atzompa, Oaxaca, los incensarios y candelabros son de barniz verde, y se decoran con pequeños rostros de querubines. En Huaquechula e Izúcar de Matamoros, Puebla, los incensarios son de barro cocido con engobe blanco, y decorado con anilinas de diversos colores; lucen un querubín y dos flores de molde sobre el borde, en tanto que los candelabros llevan adicionalmente una figura de san Miguel Arcángel. Las velas son decoradas con escamas y elaboradas figuras de flores y hojas, o con simples listones de colores que serpentean diagonalmente. * El amaranto mezclado con tamal formaba una pasta llamada *tzoalli*, con la cual los aztecas moldeaban figuras de algunas deidades que se utilizaban en las fiestas y ceremonias, algunas vinculadas con la muerte. En la época colonial esta masa fue posiblemente remplazada por panes de harina de trigo con figuras antropomorfas, o con rostros de azúcar hechos con molde, que desde entonces se distribuían en las ofrendas del día de Muertos. *

Incensario chatino. 1985. Barro con pastillaje, pintado. Panixtlahuaca, Oaxaca. Museo Ruth D. Lechuga de Arte Popular.

PÁGINA SIGUIENTE: Jorge Pablo Aguinaco. Sierra mixe, Oaxaca. 1990.

DEL RITO AL MITO: DE LA RECREACIÓN POPULAR A LA INSTALACIÓN ARTÍSTICA

Al comparar las tradiciones rurales indígenas e incluso las mestizas urbanas del interior de la República con las de la ciudad de México, nos percatamos de que en esta urbe se ha desarrollado una nueva visión del día de Muertos que se extiende hacia otros centros dentro y fuera del país. Evidentemente, en este giro jugó un papel importante José Guadalupe Posada. En cercana asociación con la obra de este grabador, encontramos "la calavera" como sátira literaria, llena de ingenio, utilizada como recurso de censura hacia los políticos y las figuras públicas. ❦ El ritual de convivir con los muertos, en este contexto, tiende a desacralizarse. Otra evolución digna de tomarse en cuenta es la que se vive en aquellos pueblos, como Mixquic en la ciudad de México, o la isla de Janitzio en Pátzcuaro, Michoacán, donde el fervor se mezcla con el turismo masivo. Los habitantes de estos lugares han aprendido, paulatinamente, que también es negocio conservar la tradición. ❦ En el ámbito de la expresión artesanal popular y del montaje de ofrendas se produce una explosiva resemantización que convierte el culto a la muerte en un culto al espectáculo. Debemos reconocer que desde hace unos años la imagen urbanizada de la muerte —la de las calacas, las calaveras y ciertas ofrendas— ha perdido sentidos rituales para recrearse a sí misma. La artesanía ritual se convierte

en arte popular decorativo, para ser coleccionado y exhibido. Numerosos artesanos —como los hermanos Alfonso y Tiburcio Soteno, de Metepec, Estado de México; la familia Linares, de la ciudad de México; Alfonso Castillo, de Izúcar de Matamoros; Roberto Ruiz, de Oaxaca y Ciudad Nezahualcóyotl— comenzaron a hacer figuras de calaveras a partir del interés de los compradores y promotores en las décadas de 1950 y 1960, lo que en ningún modo demerita la creatividad y el gusto con el que realizan sus obras. ❦ La ofrenda también ha cobrado nuevos valores: se ha convertido en un símbolo por excelencia para artistas y para el sistema educativo. Por una parte deviene en instalación artística y en *performance*, y es llevada a museos y centros culturales de México y otros países; por la otra, se convierte en las escuelas en un medio de reafirmación de los valores culturales de México, para contrarrestar al anglosajón *halloween*. ❦ Indudablemente, la fiesta del día de Muertos es un testimonio de que vivimos una época de transformaciones entre el rito y la mitificación de algo que quiere ser definido como arquetipo nacional. ❦

MARTA TUROK es antropóloga por la Universidad de Tufs, con estudios en Harvard y en la UNAM. Preside la Asociación Mexicana de Arte y Cultura Popular (AMACUP) desde 1989. Ha publicado, entre otros títulos, *¿Como acercarse a la artesanía?*, *El caracol púrpura, una tradición milenaria, Fiestas mexicanas* y *Living Traditions: Mexican Popular Arts.*

Jorge Pablo Aguinaco. Oaxaca, Oaxaca. 1990.
PÁGINA SIGUIENTE: Jorge Pablo Aguinaco. San Miguel de Allende, Guanajuato. 2000.

LAS FLORES EN LA OFRENDA *Cada especie de flor, además de agradar al olfato y a la vista de las almas, cumple una función: el cempasúchil es como el fuego, grato para quienes en vida no pecaron e insufrible para quienes pecaron en demasía, porque les quema, les molesta, y de esta manera no olvidan sus culpas ni sus castigos; las gladiolas, por el contrario, atenúan el fuego, lo templan; las flores de terciopelo, que son de color morado, representan la pasión y el sufrimiento de Jesucristo; las xochicalaveras, orquídeas moradas que exhiben en el pistilo la forma de una calavera diminuta, son como un espejo en el que las ánimas ven reflejada su condición; las nubes, blancas, múltiples y diminutas, sirven para que las ánimas descansen y reposen en su blancura. El incienso, por su olor penetrante, llega hasta las ánimas para avisarles, para notificarles que son esperados para que gocen su fiesta. Las velas y veladoras tienen el fuego que les ilumina y da calor. El mantel es necesario para que puedan alimentarse, compartir y gustar de la ofrenda con limpieza. El petate es para que los vivos y las ánimas se hinquen a rezar frente a la ofrenda. Los vasos de agua son para que beban y se refresquen al llegar a sus casas, porque los difuntos vienen de un camino lleno de polvo. ❦ Tomado de 31 de octubre Yotacico Miccailhuitl: ya llegamos a la fiesta de los muertos. ❦*

·DE· SEMILLAS Y MUERTOS

Gabriela • Olmos

EN ESTA LECTURA SIMBÓLICA DE LA TRADICIÓN DEL DÍA DE MUERTOS, LA AUTORA PROPONE UNA OSADA HIPÓTESIS: EN ESTE CULTO LATE UNO ANTERIOR, QUE LIGA LA MUERTE CON LA FERTILIDAD DE LA TIERRA; DE AHÍ QUE LA CEREMONIA ACTUAL CONSERVE ALGUNOS RASGOS DE LOS RITOS AGRÍCOLAS QUE SE CELEBRABAN EN OCASIÓN DE LA COSECHA.

Desde que el ser humano descubrió la agricultura, han existido pueblos cuyos cultos ligan los ritos de la muerte con los de la fertilidad de la tierra. En su *Tratado de historia de las religiones,* Mircea Eliade cuenta entre ellos la conmemoración india de los muertos, que coincide con la fiesta de la cosecha, y un culto antiguo, cuyo escenario eran los países nórdicos, que asociaba a la muerte con la ceremonia de la vegetación. ✳ Por su estructura, podríamos inscribir la fiesta mexicana del día de Muertos, que también ocurre tras la cosecha —entre septiembre y octubre—, y antes del invierno, en esta tradición de ritos que hermanan a los muertos con las semillas, entre otras cosas porque ambos comparten la misma ubicación física —al sembrar una semilla, ¿no profanamos los hombres esa tierra simbólica que es el espacio natural de los muertos?— y porque, además, comparten el estado larvado —ambos vienen de la vida y participan de esa condición intermedia en que la vida sigue latiendo. De esta manera, en la celebración del primero y dos de noviembre en las regiones campesinas de nuestro país, podemos encontrar reminiscencias más antiguas a la llegada de la tradición judeocristiana e incluso al esplendor de las civilizaciones precolombinas. En los sustratos más profundos de la fiesta del día de Muertos puede leerse una ceremonia proveniente de aquellos tiempos en que nacieron los cultos agrícolas, en los que la muerte está vinculada con la posibilidad de renovación. ✳ ¿Cuál es el sentido de la llegada de los muertos en estas fechas a los pueblos mexicanos? A decir de Eliade, es en el tiempo sagrado —el tiempo del ritual y de la plegaria, que es nuestra forma de dialogar con los dioses—, donde la historia humana puede abolirse para empezar nuevamente. Pero la recreación del mundo sólo podrá efectuarse repitiendo el gesto divino de la creación, que comienza con la separación del orden del caos y es seguida por la instauración de un equilibrio cósmico. Y esto es lo que sucede en la fiesta. ✳ ¿Cómo penetrar en el tiempo sagrado sin ofender a los dioses? Es necesaria una preparación ritual que en los pueblos mexicanos comienza unos días antes de la llegada de los muertos, con la restauración y adorno de los cementerios, la preparación de la ofrenda —ofrendar los frutos de las semillas a los muertos ¿no será ésta una manera de resarcir la ofensa hecha el año anterior al haber penetrado en su espacio para sembrar?— e, incluso, en algunos casos con la purificación ritual. ✳ En su estudio sobre los chatinos de Oaxaca, los antropólogos Miguel Bartolomé y Alicia Barabas cuentan que, en Yolotepec, la celebración de Todos Santos comienza con un novenario que inicia una semana antes del primero de noviembre y que implica un ritual en el que se prepara la ofrenda, se adornan altares dedicados al sol y a la luna, para que éstos vigilen el sano retorno de los muertos a la tierra, la gente se baña en el río —quizá un acto de purificación— y se prepara el altar que recibirá a los visitantes. Estas acciones —junto con algunos viajes al cementerio y ciertos preparativos municipales— son denominados "cuidado de los días". ¿Y para qué cuidar los días, si no para evitar la aniquilación, pues —recordemos— el escenario al que se enfrentan los campesinos en los días próximos al invierno guarda alguna relación con la muerte de la tierra? Estamos ante una ceremonia que trasciende el encuentro de los vivos y los muertos. El sol y la luna, quizá los responsables del equilibrio cósmico, han sido convocados por medio de sus altares. ✳ A la preparación ritual sucede la repetición de la lucha primigenia. A decir de Eliade, la llegada de los muertos representa la noche cósmica. En las tinieblas, las formas se pierden, los contornos se desvanecen, reina el caos. Las almas de los muertos que visitan a los vivos son indicios de que las fronteras han sido anuladas y sustituidas por la confusión. En varios sitios de México, como en la huasteca, hay danzas de enmascarados que en el contexto universal pueden representar el alma de los antepasados, y por eso se les suele llamar "viejos", o *"huehues"*,

Diana Molina. Sierra de Chihuahua. S./f. **PÁGINA ANTERIOR:** Paul Czitrom. San Jerónimo Xacatlán, Puebla. 1999.
PÁGINA 57: Ariel Mendoza. Cementerio de Teotitlán del Valle, Oaxaca. 2000.

porque en náhuatl este término alude a los ancianos. La comunicación entre el mundo de los vivos y el de los muertos denota que el equilibrio ha sido roto; estamos en el espacio del desenfreno, de la embriaguez, de la inversión del orden. En su estudio sobre los huicholes, Fernando Benítez reproduce las palabras de un informante, quien asegura que el mundo de los muertos es el "mundo de al revés". ❈ Aquí se puede trazar otro vínculo con las fiestas agrícolas: la recreación del caos primigenio es vivida por las civilizaciones arcaicas como un espacio de excepción, de orgía, que tiene una liga con la fertilidad, como las bacanales de la época clásica, celebradas tras la cosecha de la vid, fiestas que, en palabras de Friedrich Nietzsche, también "tienen el significado de redención del mundo y de días de transfiguración". En estos momentos toma forma el poder irrefrenable de la naturaleza, y los seres humanos —diría Eliade— se transforman simbólicamente en semillas, es decir, recobran ese estado larvado en el que se hallan prestos a engendrar. Quizá las alusiones sexuales de las danzas de *huehues* de la huasteca o de tejorones en Yaitepec, Oaxaca, que relata Ruth D. Lechuga, sean remanentes del sentido orgiástico de esta festividad. ❈ El ritual termina con la reinstauración del orden cósmico, con la repetición de aquel gesto divino de separar la luz de las tinieblas. Se despide a los muertos que parten agradecidos por sus ofrendas, la mayoría, salvo los ofendidos a los que se ha olvidado, que juran negar los favores de la regeneración de la tierra a los autores de la afrenta. Y es que ofender a los muertos es garantizar la muerte definitiva de la comunidad que, para las sociedades arcaicas, vinculadas a la conciencia del destino colectivo, implica la aniquilación de la vida. ❈ Entonces tiene lugar la repetición del gesto definitivo de creación. En la fiesta de muertos en Acatlán, Puebla, esto ocurre en la danza de tecuanes, en cuyo episodio final se mata al tigre. No es un tigre cualquiera quien ha muerto: es Tezcatlipoca, quien en el universo prehispánico representa a las fuerzas nocturnas. ❈ Cuenta Benítez, en *Los indios de México,* que, entre los chamulas como entre los coras, la ceremonia de día de Muertos es seguida por el cambio de mayordomía. Esto también sucede entre los chatinos, y está documentado por Miguel Bartolomé y Alicia Barabas. Presenciamos el inicio de una nueva era. Eliade asegura que "toda entronización tiene el valor de una recreación o regeneración del mundo", y cita dos ejemplos que confirman esta idea: entre los fidjanos se llama "creación del mundo" a la instalación de un nuevo jefe, y los emperadores chinos, al subir al poder, creaban un nuevo calendario y abolían el orden viejo para instaurar uno nuevo. ❈ Con el equilibrio cósmico restablecido, está preparado el mundo para el renacer a la vida. Pasado el invierno se sembrarán las semillas, y los muertos, que vivirán junto a ellas, procurarán que germinen y den frutos. ❈ Desde esta perspectiva, la ceremonia del día de Muertos de los pueblos indios de México, no es, como se dice superficialmente, un tributo a la muerte, sino a la muerte y a su vínculo con la vida, a la posibilidad de renovación, que aún es palpable en las tradiciones de estos lugares porque sus habitantes viven menos la muerte individual como el aniquilamiento absoluto. A decir de Phillipe Ariès, los hombres de las ciudades asistimos, desde finales de la Edad Media, a la individualización de la muerte. Morir es, cada vez más, una tragedia personal. El "yo muero" ha sustituido al "todos moriremos" anterior, cuyos latidos todavía se alcanzan a percibir en el mundo campesino. ❈ Quizá por eso la risa nerviosa del día de Muertos de las ciudades es sustituida en los pueblos por el sentido de hacer comunidad, de perdonar las faltas y de compartir el alimento, actos que generalmente suceden a la reinstauración del nuevo orden. Es la colectividad lo que garantiza la perpetuación: cuando uno muere, queda la descendencia. ❈

GABRIELA OLMOS es egresada de la licenciatura en comunicación de la Universidad Iberoamericana y de la Escuela de Escritores de SOGEM. Actualmente colabora en la redacción de *Artes de México.*

George O. Jackson. Tumba en El Male, Chiapas. 2000.

Jorge Pablo Aguinaco. Ayutla, Oaxaca. 1990. ABAJO: Jorge Pablo Aguinaco. Tutotepec, Hidalgo. 1995.

PÁGINA 62: Lilia Martínez. Huaquechula, Puebla. S./f.

PÁGINA 63: Elena Climent. Día de Muertos en Tepoztlán. Óleo sobre tela. 100 x 150 cm. Col. particular. (Detalle).

• BIBLIOGRAFÍA •

Anguiano, Marina, *et al.*, *Las tradiciones de días de Muertos en México,* México, Dirección General de Culturas Populares, SEP, 1987.

Arzate, María Celia y Marisa Casillas, "El retorno de las ánimas", en *México Indígena,* núm. 7, México, INI, 1985.

Bartolomé, Miguel y Alicia Barabas, *Tierra de la palabra: historia y etnografía de los chatinos de Oaxaca,* Oaxaca, Instituto Oaxaqueño de las Culturas-Fondo Estatal para la Cultura y las Artes-INAH, 1996.

Benítez, Fernando, *Los indios de México,* México, Era, 1977.

Carmichael, Elizabeth y Cloe Sayer, *The Skeleton at the Feast: The Day of the Dead in México,* Texas, University of Texas Press, 1991.

Childs, Robert V. y Patricia B. Altman, *Vive tu recuerdo. Living Tradition in the Mexican Days of the Dead,* Los Ángeles, Universidad de California, 1982.

Díaz Cíntora, Salvador, *Meses y cielos,* México, UNAM, 1994.

El Colegio del Idioma Totonaco, "Los muertos entre los totonacas", en *México indígena,* núm 7, México, INI, 1985.

Eliade, Mircea, *Tratado de historia de las religiones,* México, Era, 1992.

Galinier, Jacques, *La mitad del mundo,* México, UNAM-CEM-CA-INI, 1990.

Durán, Fray Diego, *Historia de las indias de Nueva España e islas de tierra firme,* México, Editora Nacional, 1967.

Garibay, Ángel María, *La literatura de los aztecas,* México, Joaquín Mortiz, 1979.

—, *Poesía indígena,* México, UNAM, 1962.

Gómez Atzin, Simón, *La ofrenda totonaca de Todos Santos de Papantla, Veracruz,* México, Cuadernos de trabajo MNAIP, 1979.

Guiteras, Calixta, *Los peligros del alma,* México, FCE, 1965.

Lechuga, Ruth D., *Máscaras tradicionales de México,* México, Banobras, 1991.

Morales Viramontes, María Cristina, "Día de Muertos en la huasteca de Hidalgo", en *Boletín del INAH,* núm. 6, México, 1985.

Navarrete, Carlos, *San Pascualito rey y el culto a la muerte en Chiapas,* México, UNAM, 1982.

Séjourné, Laurette, *Supervivencias de un mundo mágico,* México, FCE, 1996.

Westheim, Paul, *La calavera,* México, SEP, 1985.

DAY

OF THE

DEAD

RITUAL SERENITY

New Questions about the Day of

*Urban Mexicans encounter death with fun and games,
while rural Indians encounter it with absolute tranquility.*

Frances Toor

the Dead

Margarita de Orellana

Curiosity, wonder and fascination are the emotions impregnating this issue of *Artes de México*. Unlike those who believe that Mexico's culture of death has already been thoroughly explored, we are more inclined to think it comprehends a richer universe than what is widely claimed, and that there is much to be learned about it. Every one of our publications seeks to escape stereotypes and clichés by approaching the topic at hand from often unexpected angles. In our first foray into this subject matter (*The Rituals of Child Death*, issue no. 15), we brought attention to an until then little known facet of the aesthetic rituals of death in Mexico, and even baptized that artistic genre with a name that has since been used as if it had always gone by that appellation. This was a trailblazing publication, creating concepts and new ways of understanding—a fundamental part of the cultural project that is *Artes de México*.

In this issue we have chosen to tackle the phenomenon of the Day of the Dead, but leaving aside its urban aspect for another occasion, and instead concentrating on the many variants on this celebration to be found in small towns throughout the country, most of them with a largely indigenous population. During this holiday period, most normal activities are suspended. Homes and cemeteries are transformed, taking on a new guise and an entire range of meanings. The living expectantly await the annual visit of the souls with whom they will interact, establishing an intense dialogue with them. The dead come to life in the memory of the living, who evoke their particular customs, tastes, virtues and defects. There is no room for rejection here, but perhaps for a certain degree of reproach.

In each community, this dialogue takes on a specific form: strict standards of hospitality and millenary codes of conduct that each participant understands entirely, because the laws governing that interaction are the laws of life. In communities that celebrate the Day of the Dead there are no surprises. But for those who have an outsider's view of these celebrations, the surprises are many. In this dialogue between the living and the dead, incarnated in altars and offerings, we note one surprising common denominator: their strong aesthetic sense. In ephemeral compositions made of earth, flowers, candles, baskets, colored paper, wooden or iron crosses and even plastic ornaments, we recognize one of the more fertile dimensions of folk art. In each of these majestic offerings, we discover a transcendent and vital art form, as well as an unburdening of the soul that detonates in an explosion of forms and colors.

There are some offerings that, with a handful of marigold petals and two or three candles, form a composition of great simplicity and harmony in tones of deep ocher. Others are more baroque, and reveal an aesthetic dimension that satisfies by demonstrating a natural adeptness at creating beauty. More than a celebration of the dead, are the creators of these works not celebrating life? Might these rituals not be an intense prolongation of life in the midst of death?

It would be impossible to mention the thousands of Day of the Dead rituals that are carried out every year in Mexico. The small sample we present on these pages is eloquent enough. The authors have indicated the pre-Hispanic echoes in some of these rituals, but also the direct influence our Hispanic history has had on them.

Dominique Dufétel shows us certain similarities in the customs and beliefs of both cultural sources. Given the fact that at the time of the Spanish Conquest, a Mexica celebration of death happened to coincide with the European All Saints' Day, he suggests that these two holidays merged to give rise to the grandiloquence and fervor with which the Day of the Dead is currently received.

Ruth D. Lechuga outlines some of the characteristics of the ceremonies as celebrated among the Huastecs, Totonacs, Nahuas and Chatinos, discovering some of them to be reminiscent of certain pre-Hispanic practices. However, she clarifies that while Christians "pray *for* the souls of the dead, indigenous people pray *to* them." Five centuries after evangelization, this kind of religiosity has remained valid.

During the time she spent with the Huaves of San Mateo del Mar in the 1950s, Laurette Sejourné realized that in this community on the Isthmus of Tehuantepec, altars to the dead were not dedicated to any one person in particular. All souls were welcomed on the Day of the Dead, and were free to visit any home they pleased. However, those who met their death outside of town are turned away, as they are considered unwanted strangers.

Teotitlán del Valle in the state of Oaxaca is a community of extraordinary weavers who hold onto their traditions with extreme passion. Mary Jane Gagnier has formed part of that community for over fifteen years. She possesses a profound understanding of the unseen details and meanings of the Day of the Dead ritual, and generously shares them with us here. Her story reveals the deep interpersonal ties that exist in that community, and how these rituals bring people even closer together. Her testimony is both enlightening and astounding.

From Fernando Benítez, we receive several stories told to him by a Mazatec Indian from the Sierra of Oaxaca, dire warnings of the punishment awaiting anyone who does not receive the dead as ordained.

Then, Marta Turok describes how in Central Mexico and urban areas, the market has generated a demand for objects that in the past were used for offerings, eventually converting them into a decorative art form far removed from their original usage. It is clear that many woodcarvers, potters and other artisans have found economic benefits in the spectacular aspect of this ritual.

Gabriela Olmos undertakes a symbolic reading of the Day of the Dead based on the ideas of renowned religious historian Mircea Eliade. This article hypothetically remits us to ancient agricultural ceremonies "linking death and the possibility of renewal."

Skulls are an important part of the urban celebration of Day of the Dead, but they have little or no presence in rural festivities. This symbol contributes to the tendency to believe that the Mexican identity is based on a specific relationship with death. It also represents another kind of relationship linked to defiance and laughter. The urban fiesta has lost virtually all trace of religious significance, but that does not imply that artistic sensibilities are not keen in this setting as well, nor that the celebration is any less important. For this reason, the representation of skulls in sugar, chocolate, paper cutouts and paper maché will be the focus of a later publication on the Day of the Dead. For the present, we hope that this issue of *Artes de México* will transport you to a world full of beauty and serenity. *Translated by Michelle Suderman.*

Page 65: Diana Molina. Sierra of Chihuahua. n/d. Opposite page: Agustín Estrada. San Gabriel Chilac, Puebla. 1999.

◆ OCCULT ◆
ANCESTORS

Dominique Dufétel

Who would dispute that the shaggy orange flower known as *cempasúchil* or marigold has a relationship with the Day of the Dead that stretches far back into pre-Hispanic times? To realize just how profoundly ancient the tradition is, suffice it to wander through the great markets of Mexico City—such as the one at Xochimilco—during the days prior to All Souls' Day and see the stalls heaped with these "flowers of the dead;" to visit any Mexican graveyard on November 2 and become dizzy from their pungent scent; to surrender to the environment created by these blooms as they steep altars, tombs and the paths of souls in a unique aesthetic. The flower of countless petals, the flower of infinity (cempasúchil: *cempoalxóchitl*, flower of twenty petals, i.e. an infinite number of them) is piled into golden drifts over anything connected with the deceased during those days. But despite this evidence, a glance at the principal sources of our knowledge regarding the holy days and ceremonies of the ancient Mexicans will indicate that no such association existed, that while the plant is assuredly both antique and native, it was used in a range of festivals as just one among many other species that were considered no less important in the endless game of fiesta, life and sacrifice.

PRE-HISPANIC FESTIVALS OF DEATH

There were not one but many ways to honor the deceased throughout the eighteen months of the Aztec year, and these occasions tended to be tied to other events, which might lead us to the hasty conclusion that following the Conquest, all the forms of celebrating the afterlife became condensed into the days ordained for this purpose by the Christian religion. Nevertheless, closer study reveals that there were two ceremonies valued over and above all other rituals of death: the first fell in the ninth month, Tlaxochimaco, also known as Miccailhuitontli which means "small feast of the dead" or "feast of the small dead;" the second took place during the following month, Xócotl Uetzi, or Hueymiccaihuitl, meaning the great feast of the dead. It is very likely that the proceedings were scheduled for the last of the twenty days that made up each month. This is perhaps the reason why the two days of commemoration of the dead came to be held on the first and second days of November in the Gregorian calendar, first the children's day, then the adults', as in the old tradition.

Aside from these two major celebrations, the cult of the dead was practised on other occasions, each consecrated to a different category of souls. In the Mesoamerican conception of the world, the individual's conditions of existence after death depended not so much on the manner in which he or she had lived—like it does for the profoundly ethical Christian religion—as on the manner of death, a circumstance which was in any case predestined by the magical calendar from birth. During the feast of Tepeilhuitl, for example, people made "images of mountains out of *tzoalli* paste in honor of the high peaks where the clouds gather, and in memory of those who had perished in water or after being struck by lightning, or those whose bodies were not incinerated but buried"—that is, those destined for the paradise ruled by Tlaloc. During the month of Quecholli, the victims of battle were remembered: the warriors who were now escorting the Sun in its climb to the zenith, before descending during the afternoon in the form of butterflies and hummingbirds. Izcalli was the month of the Tamale Feast, in honor of the fire god Xiutecuhtli. The ceremony involved an offering of five tamales to the flames of the hearth; to honor them, one was also placed on every grave, to indicate that lying there were no common remains. "This was done before eating the tamales and afterward they would eat them all, not leaving a single one."

Such ceremonials were part and parcel of other more important ones, for each month was dedicated to a god who was—in Mesoamerican cosmology as in many other religions—originally or most primitively an ancestor. Numerous Amerindian myths feature an ancestor who becomes a hero and eventually, over time, acquires the status of a god. In the highly complex structure of the Mexican religion, dominated by the pantheon of gods, the cult of the dead seems to be confined to the familial sphere and closely concerned with lineage. The custom of cremating the dead (probably inherited from the Toltecs but ideally suited to the physical conditions of the Valley of Mexico, a vast lagoon which did not lend itself to the excavation of large-scale tombs) doubtless had a marked effect on the nature of the mortuary rites and may go some way toward explaining the secondary role of the Day of the Dead. The tomb as such, a physical space that enjoys considerable relevance in today's ritual, was virtually nonexistent then; hence, perhaps, the stress on altars to the dead as stand-ins for the memorial headstone.

DEATH'S GREAT ANNUAL CYCLE OF THE DEAD

It is important to explore the possible symbolic relations between pre-Hispanic tributes to the dead and the larger feasts with which they were articulated, since, as Mircea Eliade asserts, "the symbol delivers its message and fulfils its purpose even when its meaning is not consciously apprehended."

One point must be emphasized with regard to the ancient calendar. The Mexicas had a solar year of 365 days (divided into eighteen twenty-day months, plus five spare days of ill omen), but it seems they neglected to adjust for the astronomical error (for instance by adding, as we presently do, one day every four years). Given that their calendar originated sometime during the Toltec era, corresponding to the eighth century AD, it must have been at least six months behind by the time of the Conquest. This led to a glaring mismatch between the point in the agricultural cycle which each month purported to mark—especially in its way of worshipping gods who were consistently associated with nature—and the actual sea-

Ruth D. Lechuga. Devils' Dance. La Estancia Grande, Oaxaca. 1963.

son of the fiesta's celebration. We may suppose that, as in any tradition whose origins have been lost, the Mexicas soldiered on with their rites but in some confusion, suggesting a cult which stands closer to religiosity than to mysticism.

The first of the two main feasts of the dead—dedicated to the children as we mentioned earlier—was dubbed Miccailhuitontli by the other peoples of the Mexican Altiplano, but the Mexicas called it Tlaxochimaco, or "birth of flowers." The central act of this ceremony was to offer up "the early and incipient buds," the chroniclers tell us; unfortunately, though, during the sixteenth century the date fell in August, when flowers are in full bloom. Back in the eighth century, of course, it came in February, around the time when the first buds begin to emerge across the Altiplano. This enables us to understand the significance of the infant deaths that were offered up on this occasion to the supreme deity, Huitzilopochtli, alongside the first flowerings of the natural cycle: these small dead souls were headed directly for the highest heaven, that is, for the divine place above all others, where they would be reabsorbed into the vital magma that gave birth to every being. Hence their premature death was no misfortune, but a divine sacrifice. "Two days before this feast," relates the anthropologist and friar Sahagún, "the whole populace took to the meadows and cornfields to look for flowers, blossoms of the woods and of the countryside, some of which are called..." and he writes out a long list of floral names, all corresponding to the rainy season, except for the marigold which in those days seems to have flowered earlier than its usual season. The next day at dawn, he continues, "they braided them with cord to make thick ropes from them, long and twisted, which they then hung in their patios, to be presented to the god whose feast they were celebrating."

Within this ritual, the flowers did not constitute an offering to the dead children: rather they were a representation of those same children who were to be offered up to the god. Then "on the last day of the month, the men went into the hills to cut down a whole tree, smoothed it and brought it as far as the entrance to the city. This log was worshipped with offerings, foodstuffs and incense. They called it by the name of *xócotl*" (which evolved into the word *jocote*, the bitter-tasting fruit of the yellow *jocotero* tree).

The following month was the feast of Xócotl Uetzi, dedicated to the "large" or adult dead. At this time, writes Durán, "they lifted the tree off the ground and set it upright in the temple forecourt and placed on top a richly decorated bird formed of dough." Alternatively, Sahagún wrote that this crowning figure was a molded image of the god Xiutecuhtli, as it was his feast day. The climactic moment of the proceedings occurred when a band of youthful volunteers shinned

up the smooth trunk in a race to reach the bird and wrench off its head and other parts. The first four to make it were the winners, and these had to perform immediate penitence. Later the same day the trunk was pulled down and hacked to pieces by the crowd, who took these chips home with them as though they were relics—adds Durán—"because that is the meaning of the name Xócotl Uetzi, the fall of the *xócotl*."

This fiesta, originally held in February, reminds us of the modern ritual of the "flying trunk," a legacy of the prestigious cultures of the Gulf coast. Though it is most notorious in the Papantla area, among today's Totonac groups, it takes a more integral form among the Otomí peoples who live in the mountains of Puebla and Hidalgo states. Here it occupies a prime place in the Carnival celebrations, in keeping with the indigenous cosmovision. According to the anthropologist Jacques Galinier, who has recorded all the variants of this Otomí rite, "Carnival marks the beginning of the annual count [of days]" and is the first of the two markers of the year: "the first inter-equinoxial phase, lasting six months (from March to October) is separated from the second (November to February) by the two hinge dates: Carnival and the Day of the Dead." These twin poles of the calendar display another feature in common: both are moments when, "every year, the dead come and go between their abode and the village." To the extent that it may be legitimate to extrapolate pre-Hispanic thinking from the study of contemporary indigenous peoples, there appears to be ample evidence for the conclusion that the Mexica feast of Xócotl Uetzi (whose possible Otomí origins cannot be dismissed, argues Galinier) combined the nature of today's Carnival with that of the Day of the Dead.

In the Otomí dance of the *volador*, or flying man, four "old men" climb to the eyrie at the top of the pole and another performer called the "Malinche" dances there in the character of an eagle or hawk, representing

the solar bird. The "old men" come spinning down again, in reference to the descent into the underworld of the dead, while the flight of the "Malinche" enables it to soar up to heaven. In Galinier's view, "the Huastecs regard the Flyers as godlike departed souls who escort the Sun until it disappears." Like the ancient xócotl, the pole (a cosmic phallus) from which the Flyers launch their descent to the ground can be interpreted as an axis of the world that enables people to circulate between its several levels. "The pole is the numen of fertility, linked to a life-principle symbolized by the eagle and to a death-principle embodied in the presence of the old men," Galinier writes. The ancient ritual of climbing the pole to behead the solar bird of corn paste (surviving in the Otomí "Malinche") is a way of taking hold of the Sun, fount of all life, precisely on a day that celebrates the dead, or more exactly, one of the periodic visits the souls make to humankind. It took place originally, just like the present-day Otomí carnival, during a barren season for the land, around February, when it was necessary to call upon the power of the gods—that is, of the people's occult ancestors—in order for the earth to become fruitful once more.

It so happens that the sacred days we have already mentioned corresponding to the month of Quecholli—those dedicated to men slain in battle—coincided during the sixteenth century with the feast of All Saints in the Gregorian calendar. During those days, also consecrated to Mixcóatl, god of hunting and astral fire, the Mexicas got together to make arrows and darts for use in war and the hunt. On the last day of the month, they made smaller arrows which were lashed together in fours, mixed with splinters of ocote pine. These bundles were placed on the graves of the warriors as offerings, next to a pair of tamales. They lay there for the space of a day, until at nightfall, the bunches of wood were burned. Here as on other occasions we note the absence of marigolds, and yet the image of those bundles of arrows flaring orange in

69

Alicia Ahumada. Huautla, Hidalgo. 2000.

the night cannot but remind us of those flowers, with their fiery hues and masses of slender petals, placed on tombs now.

This other feast of the dead took place in early November, when at the exact point where the Sun went down it was possible to discern the figure of Mixcóatl, the principal Chichimeca deity, adopting his form as the Cloud Serpent. In this case there seems to have been an adjustment made to match the ritual with the appropriate season—a later adaptation, perhaps. Whatever the reason, the fact that it coincided, at the time of the Conquest, with the Catholic ritual of All Saints' must surely have some bearing on the fervor and pomp with which this Christian holy day—not of first-rank importance in Europe—has been observed in Mexico since then. This syncretic adaptation manages to concentrate into just two days, November 1 and 2—all the expressions of the great yearly cycle of death.

However, if we accept—as Galinier's testimonies about present-day Otomí tribes suggest—that in pre-Hispanic times, the ancestors manifested themselves twice a year, at the time of the equinoxes, then what ancient rites associated with this twofold break in the Earth's lifecycle might be related with the cult of the dead?

The month after Xócotl Uetzi was Ochpaniztli, which would have corresponded to March during the eighth century. This was a time to celebrate the divine Toci, mother of the gods and heart of the Earth. On the last of its twenty days, a woman representing the goddess was sacrificed by being skinned alive. The high priest put on her skin to dance all day long, and the skin of her thighs was used to make the mask of the corn god, Cintéotl.

Six months later, during the month of Tlacaxipehualiztli, it was the god Xipe Tótec's turn to be honored with a similar sacrifice, but this time it was a man whose skin was worn by the priest. And thus it becomes clear that contrary to the common belief, the Náhuatl scholar Salvador Díaz Cíntora is cor-

rect to argue that Xipe Tótec was not the god of spring we once thought; he was a deity of the fall. The man's fresh skin donned by the high priest was subsequently preserved for days "until it tore"—this was now a yellow, stained, decaying scrap of hide, not the firm flesh of Toci that heralds spring and summer. It is the parchment-textured skin of an "old man"—a dead man indeed—that ushers in the fall and winter. As Díaz Cíntora writes, "Half the year, then, is governed by Xipe Tótec, the god of the Zapotec and Tlapanec coasts; the other half, by the mother goddess of the Huasteca regions, and the coast of the Seno Mexicano. [...] During Tlacaxipehualiztli, one man, the priest, dresses in the skin of another, the sacrificial victim: this is undiluted masculinity, necessarily sterile. In Ochpaniztli, the priest covers himself with a woman's skin: [...] here the masculine element conjoins with the feminine, getting literally under her skin, as a sacrament of fertility ensuring life on Earth."

Furthermore, during the month consecrated to Xipe Tótec a kind of bread called *cocolli* was prepared from the sacred grains of certain ears of corn known as *ocholli* that were strung from the eaves by their wrappings after the harvest was in. It was exclusively these grains and no others that had to be sown the following year, because these were the seed of a god who both embodied and heralded death. Cocolli was thus a sacred offering of bread, corn bread, yellow as the leathery skin of Xipe Tótec, a food that augured the death of nature and might well lie at the origins of our contemporary *pan de muerto* (November's brioche of the dead).

When the rains have vanished from the sky and the Earth enters a period of repose—before it becomes cloaked in the parched skin of vegetation burnt by frosts and winter sun, before the ordeal of coming drought—then the land sprouts a fleece of yellow flowers: sunflowers, Santa María flowers and above all the extraordinary heads of cempasúchil, with their warm golden shades, like the re-

flection of a nocturnal sun, an orange-yellow as beautiful and poignant as the feeling of farewell to summer. Who could deny that this symbol of hidden forefathers has its roots buried deep in pre-Hispanic Mexico? *Translated by Lorna Scott Fox.*

OBLIGATORY FIESTA

DAY OF THE
•DEAD•
RITUALS

Ruth D. Lechuga

THE FACE OF INDIGENOUS DEATH
As Paul Westheim notes, "The only thing Mexico's Day of the Dead has in common with All Souls' Day, as celebrated in Europe, is the fact that on both sides of the ocean it is a day dedicated to the memory of deceased loved ones."

Whereas for Europeans the very mention of death is taboo—as if by rejecting the idea one could avoid the fact—Mexicans accustom themselves with the notion from childhood. This familiarity is evidenced in many ways; for example, in the many expressions to say that a person died: he got peeled, hit the mat, stretched a leg, carpeted the floor, went cold, took off, left us, turned in the equipment, left with the skinny one (Death), became defunct; and, they brought him out sneakers first, the witch gobbled him up, he was carried away legs akimbo, we drank coffee with him (as at a wake) and so forth.

There is a difference in the ritual too: Europeans visit the cemetery on All Souls' Day to remember departed loved ones whereas Mexicans see this as a time when their deceased return to the Earth to spend the day with their relatives. Even the pre-Hispanic custom of dedicating one day to dead children and another to dead adults has been handed down. Fray Diego Durán described such celebrations in the sixteenth century:

"They called this festival Miccailhuitontli, meaning festival of the small dead [...] for making offerings to the children. [...] On All Saints' Day there is an offering in some areas, and another on the Day of the Dead [All Souls' Day]. I asked why the former offering was made, to which they replied that it was for the children, that it was an ancient custom which had remained. And when I asked if they made offerings on the Day of the Dead, they told me yes, for the adults, which is what they did. Now that had an impact on me because I clearly witnessed them honor the dead in both a small and a large fiesta, offering money, cacao, wax, fowl, fruit, many seeds and foods, then the next day I saw them do the same thing." Currently, the fiesta might last several days longer than the two assigned to dead children and adults respectively.

María Cristina Morales tells us, for example, that in the Huastec Indian region of the state of Hidalgo, St. Michael is believed to open up the gates of Heaven for souls to begin their pilgrimage to visit the living on September 30, then St. Andrew closes them on November 30, by which date all souls should have returned to their dwelling place.

The Totonacs in the sierra wind up their festivities on St. Andrew's Day as well. Researchers at the Totonac language school claim they also dedicate St. Luke's Day (October 18) to people who have died a violent death: in an accident, murdered, drowned. The Totonacs of Papantla, Veracruz, and the Nahuas of Cuetzalan, Puebla, assign a special day, October 30, to non-baptized children and, according to Simón Gómez Atzin, they call it "the day of people in limbo."

The annual visit from the deceased is no mournful occasion, but an excuse for a party. Perhaps one explanation for that appears in the Madrilenian Codex, from Sahagún's Aztec informants: "The old folk used to say he who has died has become a god. Their turn of phrase 'he became god' means 'he died'." In fact, Robert Childs and Patricia Altman assure us the belief persists that "a dead person's soul becomes a supernatural being with the power to intercede on behalf of family members." They further point out another idiosyncrasy of the Mexican Day of the Dead that differs from the European equivalent: "in the orthodox Catholic faith one prays for the souls of the dead to be saved from purgatory. Indigenous people, on the other hand, do not pray *for* souls, but *to* them."

As they did with the gods of the past, people must pray to their ancestors to look favorably upon the requests of the living: ancestors too expect their offerings. So descendants must set aside a little of their time and money to fete them accordingly. Every village has its tale about a person who failed to lay out an offering with due respect and was punished by the dead. The penalty imposed may range from a flogging even to the death of the disobliging relative.

For example, in an account discovered by Fernando Horcasitas, a sorcerer in Milpalta relates how a woman asked her son to fetch some wood and buy what was necessary for an offering. Instead, the boy amused himself all day playing on the mountain and when he wanted to return, "he noticed a long procession of old people coming up behind him. He saw his father, his grandparents, great-grandparents, great-great-grandparents, all trembling with cold, dying of hunger and thirst, carrying their empty knapsacks and rolled-up sleeping mats under their arms, all anxious to return home where they were awaited, to warm themselves, eat and spend the night. 'What are you doing here?' they complained, 'Why aren't you waiting for us back in the house?' The startled boy was speechless. The dead tied him to a tree and left him there all night. At dawn, as the fragrant smoke from the copal incense lifted and faded, and the offering candles went out one by one, the defunct old people plodded slowly back through the forest again, untied the boy and continued on their way. The boy fled home to his mother crying, 'Now I know that the dead people really do come back; next year we'll buy them their food and wait for all of them.'"

Another story, told by researchers at the Totonac language school, had a more tragic ending. There was a man who did not believe in the dead and disregarded their day. On his way home after a drinking spree, "he suddenly saw a crowd coming towards him, but they were all dead people returning to their world. Among them were his father and mother with empty arms, while others were loaded with offerings. He saw that his deceased family carried only a piece of clay (*tepalcate*) as a thurible; it was burning their hands, and they were lamenting their sorry state and full of complaints. Soon after he had returned home, he began to feel dizzy and nauseous, then quickly fell ill and died all of a sudden. The meal he had asked to be prepared for the offering served only as a meal for his own burial."

When the fiesta is over, the dead must return to their dwelling place. A few, reluctant to do so, hang around their relatives' house, possibly with the idea of becoming prankster spirits. Some communities hold special ceremonies to avoid that. Frances Toor tells us that "in Yalalag, Oaxaca, the priest walks right through the village in the company of musicians chanting prayers for the dead and *Salve Reginas*, with or without music, depending on how much people are prepared to spend. The chanting takes place both inside and outside the houses to ensure that no soul is hiding, because some of them get lost along the way and others are reluctant to go back where they came from. At the sound of the prayers they must depart and stop upsetting their relatives."

The Totonacs in the sierra make another small offering on St. Andrew's Day. "In the afternoon they go to the graveyard, bearing the cross and part of their offering. As a farewell they recite the rosary and sing praises to dissuade departed souls from returning to bother family members."

The Chatino Indians of Yaitepec, Oaxaca, make a procession to the cemetery to escort adult souls back to their tombs. Masked dancers go from house to house making a lot of noise to expel any souls that have yet to take their due leave.

71

DANCING FOR THE DEAD

Many villages hold dances during the Days of the Dead. Some dancers perform in the street, some go from house to house and others dance in the cemetery.

In the Huastec region, dancers are called *huehues* ("old folk" in the Náhuatl language) and represent the dead. They dance in couples and their jokes often have some sexual innuendo. The Tejorón Indians of Yaitepec, Oaxaca, hide behind the anonymity of a

Julio Galindo. Mazahua cemetery. 1985.

mask when playing practical jokes with roald humor. In both instances, it is a fertility ritual, which shows that the pre-Hispanic world view of duality and the endless life-death-life cycle continues to live on in the minds of some Mexicans. The Tejorones, however, play another role: they expel souls that drag their feet when the time comes to go home after their day is over.

Other dances are staged to amuse the dead. The black population in the coastal towns of Oaxaca calls the dancers "devils." In the street they accompany their vigorous movements with chanted improvised verses in reference to their compatriots and visitors.

In Acatlán, Puebla, the customary dance is called *tecuanes*, in which multiple characters take part, including the tiger. They usually dance in honor of the souls on the afternoon of November 2 in a square outside the cemetery; but when anyone in the troupe

has a recently deceased relative they enter the graveyard and perform around his tomb. The devils of Tanquián, San Luis Potosí, do exactly the same thing whenever one of their dancers dies. The old folk of Suchiquiltongo, Oaxaca, and the mimics of Romerío, Chiapas, always dance inside the cemetery.

Children in Tepoztlán, Morelos, have fun dancing with a skeleton virtually their size, made of reeds and lined with tissue paper.

One unique spectacle is that of the living graves in Iguala, Guerrero. As a tribute to any person who has died since the last Day of the Dead—and who is generally referred to by the population as a "fresh corpse"—the family will vacate the largest bedroom overlooking the street. It then becomes an improvised actors' set for young family members and children, who usually present a tableau of some religious theme, in which they remain motionless long hours through the night.

The town's inhabitants do the rounds to admire each family's inventiveness.

Calixta Guiteras relates that in Chenalhó, Chiapas, a special council holds office for one day on behalf of the dead. There is a ceremonial handing over of the cloak and scepter, in the same manner as when a new council is instated each year. The next day, the authoritative symbols are returned to the everyday governors.

Another important ceremony takes place in Huistán, Chiapas, where women sweep the church and the plaza outdoors. This ritual dates back to pre-Hispanic Mexico. Fray Diego Durán relates, "The eleventh month of the year was called Ochpaniztli, which means day for sweeping. It was the day of solemn celebration of Toci, who was the mother of the gods. [...] The first ceremony of the day required that everyone dust their belongings and sweep out the house. What

is more, they swept every street in the village, an ancient habit that has remained with us throughout the land." Here, like other related ceremonies, pre-Hispanic rituals and beliefs persist despite almost five centuries of evangelization. *Translated by Carole Castelli.*

SAN MATEO
◆DEL MAR'S◆
WANDERING SOULS

Laurette Séjourné

In San Mateo Del Mar, the dead are feared above all as a cause of illness. It even seems that evil is an inherent quality of those who lie buried beneath the earth, since they only appear to manifest themselves by bringing on some kind of calamity. To think about a dead person is a careless deed which one must swiftly amend by means of offerings and prayers, if one wants to avoid becoming ill. To invoke a dead person to do evil is common practice; if one is in trouble, one runs a high risk of getting sick, because if a dead relative realizes one is worried, then he or she will send some affliction one's way—locals say the deceased *dan lástima* which normally means "to be pitiful" but in this case could also be interpreted as "to send woes."

The most pernicious souls are those of men who died in accidents outside town: since they do not find a place of rest, they wander the Earth waiting to enter the body of a living being. Thus it is not uncommon for someone coming back from a long trip to fall gravely ill from having "caught" one of these lost souls. Locals are always concerned about this type of diagnosis, since the treatment carried out by the specialist consists of whippings, repeatedly applied until the patient is cured. However, some people claim that these wandering souls are often very stubborn and will commonly let the patient die from the whipping before consenting to leave their host.

All this clearly reveals two characteristics of San Mateo del Mar's population's mentality: their humble, submissive worship of supernatural forces and their dependence on the group. They feel the singular need to ask for forgiveness when they fall prey to an illness; moreover, they do not carry out any of the rituals by which *brujos* or witchdoctors usually cure ailments—rituals implying a sense of active resistance—but simply limit themselves to praying and making offerings. This outlook explains the atmosphere of devotion that reigns over the town: indeed, if one must pray to heal oneself, one must also incessantly pray in order to prevent the undifferentiated realm where humans mingle with saints, the departed and animals from ever losing its harmony—as tragedies mainly oc-

cur due to some imbalance in this homogeneous whole.

The community's cohesion is further expressed in the fact that no brujo will agree to make someone sick at a client's request—something so common elsewhere. Only a traveling brujo would be capable of such a thing, and for this reason strict measures have been adopted so that no out-of-town brujo may enter San Mateo. And just in case one of these undesirable characters were to insist on sticking around, the countless chapels erected on every corner in defense against that would surely convince him otherwise.

The All Saints' Day celebrations demonstrate that the San Mateo native's anonymous state of existence as well as his or her unconditional dependency on the group also apply to the dead. Dead people's behavior is closely tied to that of the living, and when a brujo diagnoses a relative as having "dead-person's illness," the invocations he carries out to make the late lamented soul appear are a prime necessity, indispensable to the whole family. In spite of this relationship's intimacy, souls can wander freely about town once a year, and are then received with a solemn welcome—a custom followed by practically all Mexican ethnic groups. However, in San Mateo—unlike other regions of Mexico—the altar each family makes in honor of the celebration is not dedicated to any particular dead person, and this lends the festivities here a totally impersonal character.

Something else distinguishes the people of San Mateo del Mar: their aversion to anything which lies beyond their group identity is so deep-rooted that they even mercilessly "boycott" those townsfolk who died elsewhere, as if their leaving town in the first place makes them as impure as foreigners.

The belief that there are souls who have lost the way to their native land is a prevalent one throughout Mexico; however, this was the first time I witnessed a people turn their backs on these spirits. In the different places where I have spent the Day of the Dead, I have always witnessed a general sense of sympathy for wandering souls: a candle in the doorway or a table of modest offerings inside a house are the alms of human memory that each family presents to the lost souls that might pass through.

Nothing like this takes place in San Mateo del Mar, quite the contrary: stray spirits are closely monitored so they cannot freely mingle with the community of respectable dead individuals. People claim that when one of these unwanted souls tries to enter the church, hoping to partake in the offerings which would allow it to join the ranks of the pure, the front door to the church, outraged, will stop it from coming in. I have heard it said that the priest often sees the heavy door slam shut of its own accord in the face of one of these renegade spirits.

A few days ahead of time, the whole community prepares to welcome their dead.

At home, women work hard to make the kind of food and drink their dead relatives liked; at the market, candles are snatched up the minute they are made, and locals eagerly await the arrival of marigold salesman and the Day of the Dead bread made in the shape of angels, rabbits or deer. (I discovered this kind of bread made for the feast of the Day of the Dead during my trip to San Mateo. When the friendly Zapotec couple's cart in which I was traveling turned over—with all of us inside it, of course—we tried, with the aid of a flashlight that barely dispersed the cold darkness around us, to pick up and clean the objects littered on the ground. I was moved by these oddly shaped breads and did my best so that, in spite of the mishap, they could still grace a table of offerings.)

At midday on November 1, church bells start ringing, and the souls—who are only awaiting this sign—rush to the Earth. Come dawn they return to their respective resting places—some even going back to Hell—carrying their offerings from the living. The deceased who leave empty-handed will not forget to shower the worst calamities upon those forgetful enough not to have given them some token of respect.

At the toll of the bell, which does not cease ringing until the next morning, the townsfolk greet their dead. They begin by singing prayers in front of each family altar; in the homes of town leaders, secret ceremonies take place, reserved exclusively for men; women go to each other's homes offering as many candles as people they once knew who have died: there are young girls who stand shyly in the doorway to a house holding out a single candle, and old women carrying great bundles of them.

The narrow streets become impressively beautiful as they bustle with these women carrying their offerings to and fro. Indeed, once the souls have arrived, the town is suddenly revealed in all its authenticity. The women's attire and behavior, for instance, is very much like that of priestesses used to having an intimate relationship with the supernatural: the thick red cloth tied around their waists and dropping to the ground; the wide, square black or yellow blouse over their bare chests; the piece of white cotton, as large as a bed sheet, tied around their heads and draping severely over their shoulders and backs. Silent, standing proud and focused, carrying in their hands candles decorated with marigold flowers, they progress without any apparent movement, and disappear... Homes are simply multiple churches, all forming part of a single sacred place, and the altar that each one houses is the site that is most alive within them. Numerous candles fill the rooms with golden light, dispelling the usual darkness, since these shacks have no other opening than a very narrow door and the space inside is so confined that hardly any light enters. Fruits, flowers and basil—which plays a very important role in witch-

73

craft—as well as burning wax and copal enshroud everything with an intensely religious perfume. People stand before the tables of offerings to sing prayers with a fervor that will not decline until the next morning.

The night, under the full moon's benevolent glow, further underscores the profound meaning of things, and the whole town appears to be under the influence of a spell: the shacks' dark shapes loom over the narrow streets and alleys, oblivious to any sort of rectilinear order; the ground, warm and shifting, refuses to stay still beneath our feet; groups of men, floating among the alcoholic vapors of ritual drinking, glide by like sleepwalkers; prayers rise above every room like thick columns of smoke...

The shack I am staying in can evidently not escape the fate of the others, and I will be unable to sleep by the light of the candles, among the perfumes that get caught in my throat, the noise of the prayers and the constant comings and goings. The moon is still high when the women get ready to go to the cemetery wearing their prettiest dresses. It is my duty as a researcher to follow them, but it seems like a sacrilegious indiscretion for me to witness their farewells to the dead, and I am truly relieved when they tell me I cannot accompany them. In the doorway, the man of the house chats with some friends of his—all of them completely drunk. Not daring to join them, I stand in a corner for a long while unsure of what to do, listening to their prattle sprinkled with Spanish words. And then, in the most unexpected manner, I hear a song rise above the din, more disturbing and strange than everything else: a few notes of *L'Internationale*.

Suddenly, the plaza, deserted for the past two days—the street vendors have abandoned it knowing they will not sell anything during the festivities—vibrates with color and movement. Women returning from the cemetery pass groups of staggering men without noticing them, apparently, as the latter leave the church where, taking turns since the previous evening, they stood guard over the table of offerings.

A little later, the plaza will look like the aftermath of a battle: bodies are strewn everywhere, men hobble under the hot sun, stop to regain their balance and take another few faltering steps before collapsing. Once in a while a woman's hieratic silhouette appears: she reverentially bends over one of these prostrate bodies and takes it away like a precious burden. Absolutely all the men are totally inebriated: they had no choice but to drink with the visiting souls—indeed, refusing to do so would have been a grievous sin.

I overheard a revealing dialogue in this regard: as the young schoolmaster, himself suffering from a dreadful hangover, was asking a venerable old man why he had not done this or that, the latter, surprised by such a question, answered: "But how?... I couldn't, I was drinking." I must add that this sacred

collective binge is ever so peaceful: during the twenty-four hours the men drank, not a single violent incident occurred. The only novelty to report, besides the plaza's and streets' surprising appearance, was that these people, usually so introverted and sullen, had become talkative, even expressing a certain degree of warmth. *Translated by Richard Moszka.*

SERENE FIESTA

A SPLENDID
◆RECEPTION◆
IN TEOTITLÁN
DEL VALLE

Mary Jane Gagnier de Mendoza

The people of Teotitlán del Valle, Oaxaca, thirty kilometers from the state capital, are widely recognized as exemplary hosts, and the souls who visit on Day of the Dead receive a truly royal reception. Preparations for their welcome are in the making for days, and beginning October 31, the villagers are already attending spirits.

The first to arrive are the *angelitos*—the souls of dead children—on November 1, All Saints' Day, given that angels and saints have much in common, even residing in the same heavenly abode. They depart just after the first adults begin arriving from the "other world" at 3 p.m. the same day. Officially the souls take leave at 3 p.m. on November 2, but should that day fall on a Sunday—the day liturgically reserved for the Lord—the spirits must simply wait and return on November 3. The normally industrious town of Teotitlán comes to a grinding halt during these fiestas. Antonia Ruiz warns that, "No one should work while the spirits are still visiting!"

CONSTANT COMPANY AND KIND WORDS

It is mid-day, November 1, and many years have passed since Antonia Ruiz lost her last child. This spirited, compact women speaks from first-hand experience as she has buried five of her eleven children. She leads me past the newly renovated room where the altar has been set up, across the porch and into her daughters' bedroom. I am initially perplexed to be moving away from the living room, but as we enter into the cool darkness a small altar emerges. Antonia explains that this was the original living room in the home built by her husband's parents forty years ago. This room had housed the altar until 1980 when Antonia and her husband, Félix, built a new living room. She says she still maintains this small altar because it was here, in this room, that the wake was held when her own children died. This is the place they know. This is the place they come back to. "We receive the spirits here," explains Antonia while her daughter Reina takes down the offerings left on the altar for the children's spirits: peanuts and pecans, tiny egg loaves, miniature clay cups filled with hot chocolate, and the tiny bars of chocolate used for making this essential beverage.

"While the angelitos are here we often hear the clinking of ceramics coming from this room," Reina tells me, "the same sound made when you take a drink and place the cup back in the saucer."

The same afternoon in another household in Teotitlán del Valle, Doña Clara Ruiz is already busy attending to four visitors in her living room when another couple arrives. On a day like today, with so many people coming and going, she has left the front door open. Her sister-in-law Leonora, and her husband Renaldo, enter the room quietly while the other guests fall into a respectful silence. The couple goes directly to the altar, unpacking from a large basket their offering of bread, fruit, nuts and a single taper about a meter tall.

Leonora's lit candle joins six others on the floor at the base of the altar illuminating a framed photograph of Emiliano Mendoza, Clara's deceased husband. According to custom the couple kneels respectfully before the altar. Only after the dead have been properly greeted do the guests direct their attentions to the living, first Clara, then her adult sons and the other guests. They take their places at the large table and comfortable conversation resumes.

The spirits want constant company during their brief twenty-four hour visit. And while virtually every home has its own spirits to attend to, in a tight-knit community like Teotitlán, most folks spend a good part of the fiesta paying their respects to deceased relatives at other homes.

Hours later, Clara instructs her grown children to keep watch over the altar and attend to any visitors while she goes off to visit the homes of several relatives. In the sturdy reed basket tucked under her rebozo she carries a bottle of mezcal, half a dozen egg loaves and several blocks of chocolate. She will return home more than once to replenish the basket in the course of her obligatory rounds.

Her first stop is at the home of her deceased mother-in-law. The door is open and she slips silently into the living room, ignoring the others seated at the long table she moves directly to the altar. She kisses the edge of the altar then kneels to pray.

I asked Doña Clara what she prays for at this moment. "For the spirit of the deceased to be at peace," she replies.

Rising, she greets her brother-in-law, Andrés Ruiz, who, as the youngest son, and concurrent with Zapotec custom, still occupies his mother's home. Emerging from the kitchen, Andrés' wife Rosa joins her husband and receives the loaded basket from Doña Clara. This same scene has been played out countless times. Everyone has taken part in it at some point, out of the deep sense of commitment that exists within this community to perform the duties allotted to each person.

Antonia and her husband Félix Mendoza offer their vision of the spirit's comings and goings during the fiesta: "Sometimes the spirits come to visit with friends or maybe a *compadre*. They also visit other homes apart from where they lived and died—they go to the homes of their children, godparents and favorite relatives."

So while the living make their rounds, paying their respects to the spirits of loved ones, likewise the spirits have an open invitation to enjoy the aromas rising from other altars. Even young couples living in new homes where no one they know has died prepare offerings partly for unknown spirits that could return to their ancestral site, and partly for the souls of family members or godparents that might come to visit. Should the need arise to leave their house unoccupied during the fiesta, such an offense may

be remedied by leaving the door to the altar room open, wich is symbolic of inviting the souls in to visit.

Even worse than offering a half-hearted welcome to the spirits is to not receive them all. The people of Teotitlán have much to say on this matter. Antonia remembers that as a young girl her family moved to a large property in the heart of the village. "Many people had lived and died on this land long before we came to it but for years it had been abandoned. When our first Day of the Dead came upon us, in the early hours of November 2, my mother heard moans out in the large courtyard."

So, at four in the morning, Victoria González Martínez went out in the dark to reasure the sad souls. She spoke to them and told them that they were welcome. "Even if don't have much to give you, please join us," she said. Almost half a century has gone by now, and the unknown souls have been content, and never a mysterious moan has been heard since.

THE OFFERING

Just as flashing lights on the runway guide an airplane, the elements on the family altar reassure the spirit that it has come to the right home. For that reason, whenever possible photographs are made central to the arrangement.

A simple glass of water is perhaps the most indispensable offering on any Day of the Dead altar. As with the soul's first journ to the "other world," this too has been a n arduous one, and the dead need to quench their thirst.

Candles play an important symbolic role. Alejandrina Ríos believes that they illuminate the spirits' path on their return. "If you offer no candles then they light their little fingers to better see the rocks and thorns that line the dark road back," she says. Could this why lit candles are also placed on the grave immediately following the burial and again on the Day of the Dead, times of travel in the spirit world?

At three in the afternoon on November 1, as the church bells signal the spirits' arrival, the living put the finishing touches on their altars. No hands remain idle at this time of year. Antonia's three daughters are busy in the kitchen. Reina pours a cup of hot chocolate whipped to a thick froth and nestles it among three large *panes de muerto*—sweet loaves marked with a cross baked especially for this fiesta. Elia deftly mounds steaming tamales on a platter while Altagracia ladles the ubiquitous black *mole* over a cooked turkey leg. Antonia runs a tight ship and has strategically placed the hot chocolate, tamales and mole on her altar, anticipating by minutes the arrival of *los muertitos*.

"But things were not always like this," Félix Mendoza emphasizes, comfortably presiding over the long wooden table he has made himself, with his back to the wall and his gaze upon the doorway. This trim, hand-

some man in his late fifties, dashing with a well-groomed mustache and a thick head of hair, has, like others of his generation, seen more changes in half a century than any Zapotec ancestor since the arrival of the Spaniards. Félix recalls, "I would work day and night to finish weaving a serape before the Day of the Dead. I'd take it to sell in the Tlacalula market and there were times when I returned home with the unsold piece after an entire day sitting in the sun. We would be really desperate then! If I didn't sell the serape we would have nothing to offer our dead—not mole, not turkey, not even chocolate! My only option would be to sell it to one of the wholesalers in the village who would pay us whatever they wanted in those days, sometimes only half the value of the weaving because they knew we had no other choice."

The grand altar at Clara Ruiz's home takes first place for its sheer abundance. It entails a true balancing act using plates of apples, oranges and tamales. Around the edge of the altar a wall over half-a-meter high has been constructed of *panes de muerto* reminiscent of fieldstone walls. This arrangement stands so high that the photographs making up Mendoza Ruiz family's saintly entourage—concealed within wooden niches and embraced by crepe paper flowers—are barely visible over the oven-browned bread.

For a woman in her mid-sixties, Clara glides gracefully yet industriously from altar room to patio to kitchen, intent on properly attending to her guests. She miraculously appears serving bowls of scalding *atole*, hot chocolate and steaming tamales. After 1 p.m. they dispense with the breakfast foods and switch to *mole de castilla*, her deceased husband's favorite dish.

Aroma is to the spirits what taste is to the living, so the heady incense of copal resin and tiny scented wild flowers are essential elements on any Teotitlán altar. The intense smells satiate the dead while the living indulge in bowls of rich turkey mole and yellow tamales. The villagers often comment that when they place the bread on the altar it weighs more than when they take it away, or how the food removed from the offering has no flavor. Marino Vásquez, a respected village elder, explains that when the dead feast on the spirit of the food, they take away its essence, which is why food from the altar is seldom eaten by the living.

"It isn't just food we offer the dead children—we buy them presents too!" Antonia elaborates. Tiny sheep, turkeys and angels of sugar decorated with colored frosting are made especially for the altars of angelitos. Some families will add miniature objects to the altars such as *metates* (grindstones) and tortilla presses for their daughters, and toy hammers and hoes for their sons.

"Every year we buy a brand new *tenate* (woven basket), *molcajete* (mortar and pestle) and *jarrito* (clay jug). Sure we use them after-

75

Ruth D. Lechuga. Tejorones Dance. Panixtlahuaca, Oaxaca. 1980.

wards but they do take the gifts away—symbolically. We know that," Antonia explains, "because women who have gone to wash clothes in the river before the fiesta is over testify, in spite of their fright, to seeing the dead leading away their pack burros or carrying baskets under their arms and sacks over their shoulders loaded with the offered gifts."

Don Marino explains that if the spirits like to drink mezcal then a toast is made. The *juez* (judge or official mezcal server) will first pour a shot and drizzle it in the form of the cross on the offering at the foot of the altar. A drink having been offered to the deceased, he will then pass out shots of mezcal to all the visitors at the table, in order of importance.

THE RETURN TRIP

Many villagers insist on "seeing off" their loved ones at the cemetery, much like taking someone to the airport rather than calling a taxi. Others, like Félix Mendoza and Antonia Ruiz never go to the cemetery on November 2. Félix is quick to justify his actions, saying that this would be "the equivalent of kicking them out of the house. Some spirits leave slowly and others get drunk and so the fiesta spills over to the third."

At three in the afternoon of November 2, deafening explosions from firecrackers in the churchyard and homes signal to the entire populace, living or dead, that it is time for the souls to think about their journey back.

A visit to the cemetery on this same afternoon is a sight to behold: the graves dance with enormous bunches of oxblood, cock's comb and brilliant marigolds, dotted with delicate calla lilies. Many families go to the cemetery bearing fruits, peanuts, bottles of mezcal and cases of beer. This is a time to clean the tombstones, some are even diligently scrubbed with soap and water. Candles are lit and long-winded toasts are made to the departing loved ones.

If the graveyard is to the spirit what the airport departure lounge is to the earthly traveler, the spirits that come to Teotitlán del Valle for the Day of the Dead get a first-class send-off in every sense. In early November,

the warm glowing rays of the late afternoon sun heighten the intense tones of the flowers, and as one draws near the cemetery's tiny chapel the woeful chants of the *alabanceros* (members of Teotitlán's lay clergy) invite those present to indulge in the moment's sweet sorrow.

The band plays emotive dirges and slow marches, the same sad songs played for the funeral processions that every villager has accompanied on countless occasions, escorting close and extended family on their last and ultimate rite of passage—the journey we will all, one day, make to the "other side."

Just as Sunday is dedicated to the Lord, every Monday in November belongs to the dead. For five weeks, Padre Rómulo—who attends to the spiritual needs of Teotitlán as well as four other nearby villages—will visit each community in turn, celebrating los *responsos* in the town cemetery. On the Monday designated for Teotitlán even those who remained at home with the languishing souls on November 2 will likely visit the cemetery making a small donation to the priest for which he will recite individual prayers at the graves of their departed ones. The exuberance of fresh flowers and the chanted prayers heighten the senses to take in every detail of this moment suspended in time and space, somewhere between Heaven and Earth.

POSTHUMOUS
◆REVENGE◆

Recorded by Fernando Benítez
As told by Manuel Zugaide

All Saints' Day is the most important day of the year for us Indians. This is the day when the dead come back. Dead children come at midday on October 31 and they leave at noon on November 1. The dead adults arrive at that time and they leave at midnight on November 2.

They are summoned with bells. The bells ring twenty-four hours without stopping,

from noon on the last day of October until noon on the first day of November, and the bell ringers take turns throughout the day. They are rung in a minor key for the dead children, and a major key for dead adults.

The dead arrive and they smell the bread, tamales and fruit making up the offerings, and they take away their essence. And we are always there eating with them. They don't need anything else. The essence is enough for them to last a whole year.

People go from door to door praying. They are paid fifty centavos or a peso to mention the name of dead family members, and they and their helpers share in the food from the offering.

In Cihualtepec they are also summoned with bells, but it isn't the same thing here. Take an example: I buried my mom in La Joya, but unfortunately we have to celebrate All Saints' here. We don't know if the dead can come here, if they know how to get to some unknown place even though we're calling them with prayers and bells. Some still go to Old Ixcatlán or Old Soyaltepec. We also have the dead who were buried previously on this land. Besides, they're poor people who don't know how to get around outside their customary places.

It's the old people and not the young ones who still talk to their dead in the cemeteries. They say, "Pray to God so you will reach Glory soon." Others say, "Here I am, suffering in the knowledge that I'm bound to die before long. We all travel the same road eventually." They just talk to them. It's not that they see them; they talk to them from above and say the dead hear them.

Sorcerors visit the cemeteries so the dead can call whoever they're thinking of harming. So that person has a bad dream: he gets stabbed, or falls off a cliff, or his house burns down, and if he has sex with a woman after that dream, well he's done for: he's sure to get sick or even die if he doesn't go to a good medicine man. The medicine man is supposed to protect him against the sorceror and talks to God, to ask for his health to be restored: "Lord Jesus Christ, you can't let some bad person cut short the life of another human being just like that."

Since we're talking about All Saints' Day I'm going to tell you a story. There was a man whose wife died so he remarried. He was broke and had to go away to work, so a few days before the Day of the Dead, he told his bride, "Look, do me a favor, everything you're going to put on the altar for your dead relatives, just put the same there for my dead wife. Will you do as I ask?"

"Yes," answered the woman. "Don't worry. I'll do as you ask."

"When the dishes and fruit are taken to the altar, it's customary to say, 'This fruit is for you, Juana (assuming this was the name of the dead wife) or this chicken, or this coffee.' Do you understand?"

"Yes, Pafnucio, I think I understand."

So, the new wife heated up a stone and when it was so red-hot it was giving off sparks, she took it to the altar saying, "Juana, I'll put this stone here for you to eat."

The husband returned that same night and on the way home found the dead woman crying and moaning. "Ay, ay," the poor dead woman cried. "I've burned my mouth!"

When the man entered the house, he asked his wife, "What did you put on the altar for my dead wife?"

"Food and fruit, like you ordered."

He went closer and then he saw the burnt altar. He understood that his wife had tricked him. As he was a peaceful man, he just gave her a good thrashing.

SECOND ALL SAINTS' STORY

There was another man who was caught in transit the night of the fiesta and he stood aside because he saw some men approaching who were urging on some pigs and complaining about it.

"Well, next time we won't bring back pigs," they said. "They don't walk very fast and it's too tiring to be urging them on like this. The people who chose chickens and turkeys passed us a while ago and they didn't look tired at all."

That is why pork meat is not placed on the altar, not in tamales and not in stew. The dead take away everything, and it isn't the same thing to carry a chicken as to herd swine. The dead have too much of a hard time with them.

THIRD STORY

A long, long time ago, there was a very poor man whose wife fell ill, and as he didn't have money to cure her, she died a few days before All Saints' Day. The man was weeping bitterly with his two children when a neighbor arrived and asked him why he was crying so much.

"*Ay, señor!*" the widower answered. "How do you expect me not to cry? My wife died two days ago and I know that anyone who dies before All Saints' Day has to watch over the houses of other dead people. We're crying out of pity and shame. My little woman will be very lonely staying in that house, and even if I take food to her in the cemetery and she has something to eat, she won't be able to come home and that makes us feel very sad."

"Well, sir, I don't believe in that," said the neighbor. "What you are saying is a lie. Stop being so silly, stop crying and stop thinking about things that no one has ever been able to prove."

"Well, you maybe you don't believe it but it's true. The day will come that you will be disillusioned, and then you'll be called 'the disillusioned man.'"

A year later, the same fate befell the incredulous man, and remembering what the widower had told him, he said to himself, "This Night of the Dead I will go to the cemetery to be disillusioned." He kept his word, and at midnight on the dot, he saw his

wife crying because she was so alone, and afterwards, that man wasted away and died at the mere thought that the poor dead woman had to sit watching over a house as lonely as the house of the dead. *Translated by Michelle Suderman.*

FIESTA OF CONTRASTS

◆THE ALTAR◆
A CREATIVE HORN OF PLENTY

Marta Turok

The penetrating smell and bright color are unmistakable. It is October, the harvest is almost done, and the *cempasúchil* flower (marigold) has arrived in the street markets, seeming to signal the approach of that time of the year when we remember those who have passed away. Stands begin to pop up, selling objects for the Day of the Dead. Here we find strips of *otate* (cane), copal, censers, clay candelabras, little chocolate or sugar skulls, and perforated paper decorations.

From the (mainly urban) collective consciousness, the prototype of the Mexican who plays with death has emerged and, over the course of time, become fashionable. It is a figure that mocks death and treats it with irreverence. This image is juxtaposed against that of the indigenous communities, guardians of ritual, who carry out the ceremony with discretion and reverence.

In these communities, the celebrations for the Day of the Dead are held by the family. They are private, but possess a collective, communal dimension. Like a play, the ritual

is made up of several acts: the reception and farewell of the spirits, the preparation and setting up of the *ofrenda* (offering) in the family shrine, the decoration of the graves, the vigil on consecrated ground, and religious services from the Catholic liturgy. In this ceremony, the certainty shines through that the family's dead will return in spirit form, traveling from that place they reached after crossing the river in a raft accompanied by a dog. As they come from a world that is similar to that of the living, they are received for a brief get-together and are sent off with music, food and gifts. There is no smell of death, nor any fear, although certain measures do exist to ensure that they return whence they came and not linger to "bother" the living.

In many places, the spirits of the dead are guided by the aroma of flower petals. These are preferably marigold petals, which lay a fragrant trail from the street to the shrine.

The arrival of the dead is announced by a peal of bells, prayers, the burning of copal and the lighting of candles, just as setting off fireworks or another peal of bells bids them farewell. Children are received and attended to first, then the adults, each group having a day sacred to them. However, in places such as the Huasteca area of Hidalgo, the celebrations for the Day of the Dead have repercussions until Carnival, when those spirits still at large are captured with ropes called *micahuitl* to return them to the underworld.

The ceremony is prepared in advance. First, the cemetery is cleaned, the tasks and chores generally being done on a communal basis. Next, families take charge of the decoration of their particular graves, although the adornment of graves belonging to the anonymous dead or those who have lost their families is never remiss. These people are re-

77

membered because they will still be missed in some part of the world.

The grave decoration is followed by the vigil. This is the act of accompanying the dead all day or night, sometimes sharing food with them and often serenading them with their favorite songs or ritual masked dances. In this way, the devotion at the family shrine is replicated on consecrated ground.

Jesús Ángel Ochoa Zazueta tells us in his study on the cult of death that, "the offering is prepared and exhibited according to feelings of gratitude, love and veneration. However, this cannot hide the fear of dissatisfying and displeasing their supernatural visitors. The offering is given in order to pay a personal and solemn tribute, which becomes a sacred responsibility."

Altars are located next to the traditional shrine to the saints or in the main guestroom of the house. While they display great differences between regions, they share certain formal elements. A table or shelf covered with a tablecloth forms the basis of any shrine in Mexico. The tablecloth is preferably white and embroidered, although these have tended recently to be replaced by patterned plastic ones. In order to mark out the sacred space for the offering, one or more sugarcane, otate or *carrizo* (reed) arches are tied to the feet of the table. These are adorned with marigolds, palm leaves, *cucharilla* (lemon grass), banana leaves, fresh fruit, dried chilies and bread. The most spectacular shrines are constructed in the form of a catafalque, using covered boxes or shelves to make them taller. The most outstanding works of this nature are those of the Nahua community in Mexico City and the Huasteca region, the Purépecha of Michoacán and the Zapotecs in the Oaxaca valley.

Paper flowers and perforated (or cutout) paper decorations are occasionally hung in front or behind the table. These accompany photographs of those family members who have passed away, which are generally placed between several vases. One or more censers may be placed on a new *petate* (palm mat) in front of the table. Garments or objects associated with the deceased may also be placed on the altar; these may include a machete, a hat, a sash, children's toys and so forth.

The dishes to be offered to the dead are cooked between October 30 and November 1. Particularly traditional dishes are tamales, chicken or turkey in mole sauce, enchiladas, *chalupas* (fried tortillas with meat toppings), *dulce de calabaza* (candied squash), hot chocolate or *atole* (corn flour drink). There is also bread, baked specially for the occasion, a favorite alcoholic drink and regional candies. Cigarettes may also be placed on the altar if the deceased was partial to them. A jug of water is always used; this evaporates after several days, thus providing evidence that the dead have actually been present. It is common that all the clay dishes in which food is offered be new; these then become part of the everyday crockery.

The miniature offerings in San Antonio Tecómitl, Milpa Alta, are true works of art: dozens of dishes and figures made of carrizo and amaranth are placed on the grave. However, as offerings are now judged for competition, it is no longer clear whether the motive is that of concern for the dead or pursuit of the spectacular.

RITUAL OBJECTS

Although produced and used expressly for the celebration, the objects associated with the cult of the dead can be considered examples of ritual craftsmanship. Many of them

form part of the offering, whose ephemeral nature demonstrates the abundance of creativity that the annual transformation demands. The syncretic nature of this celebration is palpable above all in the pieces that form part of an offering, although traditions that were part of the European rites of the sixteenth century can also be appreciated. These found an echo in pre-Hispanic customs, such as the act of offering gifts to the dead, visiting the cemeteries to share in the ephemeral return of the dead and the special treatment of deceased children.

As regards the objects, it is interesting to note, for example, that there is a page in the Codex Magliabecchiano showing strings of paper with designs probably painted in *ulli* (gum oil). These are direct ancestors of the strings of perforated paper decorations used to this day, which have pre-Hispanic, Chinese and French influences. Nowadays, the manufacture of perforated paper decorations is traditionally carried out in San Salvador Huixcolotla, Puebla, as well as Uruapan, Michoacán, and Tláhuac in the Federal District, although they are produced in many other areas in a less commercial way.

In Metepec, State of México and Santa Fe de la Laguna, Michoacán, candelabras and censers are made of black clay or with a black glaze. In Ocotlán, Oaxaca, these are made of baked clay, the figures adorning them being painted white and cobalt blue with earth and pigments. The censers are crowned with anthropomorphic figures whose upraised arms are linked, and candelabras have paste skulls affixed to the tube and base. These hark back to a pre-Hispanic piece found in Zaachila, Oaxaca: a three-legged ceremonial vessel in the Mixtec style. Leaning against this orange clay work, we find a skeletal figure attributed

to the god Mictlantecuhtli, whose head swivels on its neck and whose expression fluctuates between macabre and playful. In the neighboring town of Atzompa, Oaxaca, the censers and candelabra are decorated with a green glaze and small cherubic faces. The censers from Huaquechula and Izúcar de Matamoros, Puebla, whose colors are achieved through the use of anilines, are made of baked clay with a white glaze. These have a cherub and two molded flowers on the rim, as do the candelabras, which also have a figure of St. Michael the Archangel. The candles bear a scaly design and elaborate figures of flowers and leaves, or simple diagonally snaking colored ribbons.

Amaranth mixed with tamale dough forms a paste called *tzoalli*, with which the Aztecs molded the figures of certain deities used in celebrations and ceremonies, some of which were linked with death. In colonial times, this dough could possibly have been replaced by anthropomorphic figures made of wheat bread, or molded sugar faces, which have since become quite ubiquitous in Day of the Dead offerings.

The making of animal figures, particularly sugar paste sheep and lambs from Toluca and the sugar or pumpkin-seed candies found in Toluca, Huaquechula and Atlixco, Puebla, may also echo European traditions: there is testimony that in twelfth-century Naples, bones made of sugar (*ossi di zuchero*) were offered to the dead. The animals could correspond to the Lamb of God or to the Revelation of St. John the Divine. Also worthy of mention are the little skulls made of sugar, chocolate or even amaranth that are traditional in Mexico City, Toluca and Oaxaca. We could associate these with the *tzompantli* (an altar consisting of the skulls of sacrificial victims), although this image also comes from the European imagination.

Miniature toys, such as catafalques, coffins, processions, shiny paper figures with chickpea heads carrying coffins, skulls and skeletons of nuns and clerics, are made for the offerings for *los angelitos*, or dead children. These suggest funeral processions and the ceremonies that were often carried out in colonial times in New Spain. There are miniature offerings of wood, paper and clay made in Oaxaca, Toluca and Mexico City, as well as marionettes of flat skeletons, mariachi musicians, and cardboard or wooden Catrinas (skeletons dressed in period women's costume), all articulated with threads that make their arms and legs dance. Such figures highlight the folksy nature of the festival.

FROM RITE TO MYTH: POPULAR RECREATION TO ARTISTIC INSTALLATION

On comparing Mexico City practices with rural indigenous traditions and even those of urban Mestizos in the rest of the country, we realize that a new vision of the Day of the Dead has developed in the capital, and has extended to other cities within and beyond the borders of Mexico. José Guadalupe Posa-

da obviously played an important role in this movement. In close association with the work of this engraver, we encounter the *calavera*, a macabre cartoon combined with witty literary satire, criticizing politicians and public figures.

The ritual of living with the dead, in this context, tends to remove the element of the sacred. Another development worthy of consideration is that experienced by those communities—such as Mixquic in the Federal District, or the island of Janitzio in Pátzcuaro, Michoacán—whose fervor is mixed with mass tourism. The inhabitants of such places have learned, little by little, that preserving tradition is also good business.

In the ambit of popular craft expression and the staging of offerings, we also find an explosive reinterpretation of semantics that turns the cult of death into the cult of spectacle. We should acknowledge that, for the last few years, the urbanized image of death (that of skeletons, skulls, and certain offerings) has tended to lose its ritual meaning in order to re-create itself. Ritual craft has become decorative folk art, to be collected and exhibited. Numerous craftsmen, such as the brothers Alfonso and Tiburcio Soteno of Metepec, State of México, the Linares family of Mexico City, Alfonso Castillo of Izúcar de Matamoros and Roberto Ruiz of Oaxaca and Ciudad Nezahualcóyotl, have testified that they started to make figures of skulls due to the interest of buyers and agents in the 1950s and 1960s. At no time, however, did this compromise the creativity and enjoyment with which they created their works.

The *ofrenda* has also taken on new values: it has become a symbol *par excellence* for artists and the educational system. On the one hand, it occurs in artistic installations and performances, which are taken to museums and cultural centers in Mexico and other countries. On the other, it becomes a medium for reaffirming Mexican cultural values in schools, countering the Anglo-Saxon tradition of Halloween. The celebration of the Day of the Dead is unequivocal evidence that we live in times of change. We are poised between the rite and the conversion into myth of something that seeks to be defined as a national archetype. *Translated by David Bevis.*

◆ ON SEEDS ◆
AND DEATH

Gabriela Olmos

Ever since humanity's discovery of agriculture, there have been peoples whose religions associated death rituals with the fertility of the Earth. Mircea Eliade, in his *Tratado de historia de las religiones*, cites India's commemoration of the dead that coincides with the harvest festival, as well as an ancient Nordic cult that associated death with the ceremony of vegetation.

Mexico's Day of the Dead festivities can structurally be counted amongst these traditional rites that recognize the relationship between seeds and the dead, as they too take place on the eve of the harvest, just before the onset of winter. Among other things, both share a similar physical location—by planting the seed, do we not desecrate the Earth, the dead's natural resting place? Furthermore, both are in a larval state, having proceeded from a living state, and they share an intermediate existence in which life lies latent. Thus, in Mexican rural communities, the celebrations of November 1 and 2 contain vestiges that predate the arrival of Judeo-Christian tradition, hinting at the splendor of the pre-Columbian civilizations. Deep within the Day of the Dead substrata lies evidence of a ceremony that springs from a time when agricultural rites linking death and the possibility of renewal were being born.

What does the arrival of the dead during these dates mean to Mexican cultures? According to Eliade, it is a sacred time, a time of ritual and prayer—which are our means of establishing a dialogue with the gods—the slate of human history is wiped clean to begin anew. However, re-creating the world can only be accomplished by repetition of the divine creation, which in the beginning separates order from chaos, followed by the establishment of a cosmic balance. This is what takes place during the festival.

How does one enter sacred time without offending the gods? A ritual preparation is necessary, and Mexican communities begin a few days before the arrival of the dead by sprucing up and decorating the cemeteries, and preparing the offerings (what better way to compensate for the offense of having penetrated into the space of the dead to plant seeds, than by making them offerings of the fruits of those seeds?), while some communities include a ritual purification.

In their study of the Chatino Indians of Oaxaca, anthropologists Miguel Bartolomé and Alicia Barabas describe how in Yolotepec, the All Souls' Day celebration begins with a novena starting a week before November 1, during which time the offering is prepared, altars dedicated to the Sun and the

---

Opposite page: Adán Gutiérrez. Huasteca region, Hidalgo. n/d. This page: Ruth D. Lechuga. *Living Tombs, Fresh Dead.* Iguala, Guerrero. 1986.

Moon are adorned so they will watch over the dead's safe return to Earth, people bathe in the river (perhaps as an act of purification) and a welcoming altar for the visitors is set up. These acts, along with some trips to the cemetery and other civic preparations, are called "caring for the days," and what better reason to care for the days than to avoid annihilation? Especially if you take into account that the farmers are faced with the onset of winter, the death of the Earth. This is the ceremony that transcends the encounter of the living with the dead. The Sun and the Moon, perhaps overseeing this cosmic balance, are called into action by their altars.

The ritual preparation is followed by a reenactment of the age-old battle. According to Eliade, the arrival of the dead represents the cosmic night. In the dark, things lose their shape, outlines are blurred, chaos reigns. The souls of the dead that visit the living are an indicator that boundaries have been annulled, and are replaced with confusion. In many parts of Mexico—one of them the Huasteca region—masked dances are performed in which, within a universalized context, the dancers might represent the soul of the ances-

tors. This is why they are referred to as *viejos* (old folks) or, as Ruth Lechuga prefers, *huehues,* given that Náhuatl contains more specific reference to the ancestors. Communication between the living and the dead denotes unbalance, opening the door to licentiousness and drunkenness, the inversion of order. Fernando Benítez, in his study of the Huichol Indians, quotes a source who affirms the world of the dead is a "reverse world."

Another link to agricultural festivities can be traced here. The recreation of primal chaos by archaic civilizations is experienced as time out of time, orgiastic, tied into fertility, like classical bacchanalias celebrating the grape harvest. Nietzsche characterized them as "signifying the redemption of the world and days of transfiguration." Eliade spoke of them as moments in which the unstoppable power of nature takes shape and humans become symbolically transformed into seeds; the recovery of a larval state that is ready to sprout. Perhaps the sexual allusions of the Huasteca's huehue dances or the Tejorones dance in Yaitepec, Oaxaca, as related by Ruth D. Lechuga, are remnants of the orgiastic sense of the Day of the Dead festivities.

The ritual terminates in the restoration of cosmic order with the divine action of separating light and darkness. The dead—for the most part—take their leave, thankful for the offerings. Some are offended for having been forgotten, and they vow to deny their blessings for the regeneration of the Earth to those who have offended them. An affront to the dead, in effect, dooms the community to an ultimate death. Linked as they are to a consciousness of collective fate, in ancient times this implied a total annihilation of life.

Then comes the repetition of the specific action for creation. In the Day of the Dead festivities in Acatlán, Puebla, this occurs in the final episode of the dance of the Tecuanes, when the tiger is killed. This is no generic tiger. It happens to be Tezcatlipoca, who stood for the nocturnal forces in the pre-Hispanic pantheon.

In *Los indios de México,* Benítez states that among the Chamula and Cora Indians, the change of *mayordomo* (steward of religious matters) in the respective communities is followed by the Day of the Dead ceremonies. This occurs among the Chatinos as well, as documented by Miguel Bartolomé and Alicia Barabas.

Eliade asserts that "any enthroning has the value of a re-creation or regeneration of the world," citing two examples that confirm the idea. Fiji Islanders refer to the installation of a new chief as "the creation of the world," and the Emperors of China created a new calendar upon acceding to power, thereby abolishing the old order so as to establish a new one.

Cosmic equilibrium having been reestablished, the world is now ready for life to be reborn. Once winter has passed, the seeds will be planted to live alongside the dead, who will procure that they germinate and bear fruit.

Seen from this perspective, the Day of the Dead ceremony among native Mexican peoples is not—as is frequently and ignorantly claimed—a tribute to death, but rather a tribute to death's link to life, to the possibility for rejuvenation. This continues to be palpable in the traditions of those places where the inhabitants fear individual death to a lesser degree than the annihilation of the community. According to Phillipe Ariés, since the late Middle Ages, city dwellers have undergone an individualization of death. More and more, dying is a personal tragedy. "I die" has substituted yesteryear's "we will all die," which can still be perceived in Mexico's rural communities.

Perhaps this is why the nervous laughter the Day of the Dead provokes among city-dwellers is replaced in the countryside by a sense of making community, of pardoning faults and sharing food—acts that usually follow the restoration of the new order. The collective guarantees perpetuation, for upon one's death, the descendents remain. *Translated by Harry Porter*

Nacho López. Janitzio, Michoacán. n/d.